Contes de la planète Espoir

À l'intention des enfants et des parents inquiets

Dans la collection
« Contes, nouvelles, et autres écrits » :

Blais, Édith. *Et moi alors ? Grandir avec un frère ou une sœur aux besoins particuliers,* Montréal : Éditions de l'Hôpital Sainte-Justine, 2002, 112 p.

DANIELLE LAPORTE

Contes de la planète Espoir

À l'intention des enfants et des parents inquiets

Préface de
Jovette Boisvert

Éditions de l'Hôpital Sainte-Justine
Centre hospitalier universitaire mère-enfant

Données de catalogage avant publication (Canada)

Laporte, Danielle

Contes de la planète espoir: à l'intention des enfants et des parents inquiets

(Contes, nouvelles et autres écrits)
Éd. originale: Montréal: Stanké, c1997

ISBN 2-922770-49-4

1. Hôpital Sainte-Justine. II. Titre.

PS8573.A638C66 2002 jC843'.54 C2002-941683-3
PS9573.A638C66 2002
PZ23.L36Co 2002

Illustration de la couverture: Marc Mongeau
Infographie: Nicole Tétreault

Diffusion-distribution au Québec: Prologue inc.
en France: Casteilla Diffusion
en Belgique et au Luxembourg: S.A. Vander
en Suisse: Servidis S.A.

Éditions de l'Hôpital Sainte-Justine
3175, chemin de la Côte-Sainte-Catherine
Montréal (Québec) H3T 1C5
Téléphone: (514) 345-4671
Télécopieur: (514) 345-4631
www.hsj.qc.ca/editions

ISBN 2-922770-49-4

Dépôt légal: Bibliothèque nationale du Québec, 2002
Bibliothèque nationale du Canada, 2002

Remerciements

Je voudrais remercier du fond du cœur mes deux fils aînés, Nicolas et Vincent, pour leurs illustrations que je trouve magnifiques (je sais, je ne suis pas objective). Je veux également remercier Jean-Sébastien, mon benjamin qui, avec ses talents de comédien, nous a souvent inspirés par sa bonne humeur.

Je veux remercier mon conjoint, Germain Duclos, pour ses encouragements et son amour indéfectible, et mon ami Luc Bégin, qui a lu et relu les contes avec son regard de linguiste mais surtout de poète.

Je remercie également tous les enfants que je rencontre en psychothérapie et dont l'imaginaire et la force de vivre me fascinent sans cesse et me donnent le goût de continuer le beau métier qui est le mien.

Table des matières

PRÉFACE

Danielle Laporte savait combien les enfants ont besoin d'espoir; elle savait aussi comme ils sont loin d'être tout absorbés par le plaisir de jouer ou de découvrir le monde qui les entoure. Si les apprentissages exigent des efforts et comportent une part de difficultés, bâtir son identité, s'adapter aux autres, devenir autonome, bref « grandir intérieurement » amène à vivre des épreuves émotives qui, elles, sont naturellement plus dures à traverser.

L'enfant doit apprendre à reconnaître et à gérer la tristesse, la colère, le sentiment de culpabilité, d'abandon, les angoisses de se séparer, de ne pas être à la hauteur, de l'échec .... Bien sûr, le soutien des parents éclaire, réconforte et donne du courage; mais il n'est pas toujours facile de rejoindre des sentiments que les enfants ont souvent peine à verbaliser ou de partager leurs visions du monde et leurs convictions étrangères à notre point de vue d'adultes. Les parents se retrouvent eux-mêmes parfois inquiets, en doute quant à leur capacité de comprendre et de rassurer l'enfant.

Heureusement, les enfants portent en eux un outil précieux pour les aider dans leur quête de sens et de maîtrise : c'est la capacité de symboliser, c'est-à-dire de se représenter soi-même et l'environnement en reliant l'imaginaire et le réel ; là, l'inconscient participe, comme dans toute création. Cela s'amorce vers l'âge de deux ans environ et se développe de plus en plus en même temps que le langage ; les dessins, les jeux de « faire semblant », les histoires inventées et même l'humour en sont de bons exemples. C'est aussi pour l'enfant une manière de se parler à soi-même, un appui intérieur essentiel qui durera toute la vie, mais qui servira surtout dans l'enfance.

Ces activités symboliques, figuratives, interprétatives ou métaphoriques permettent à l'enfant d'apprivoiser toutes sortes d'aspects de sa vie. Les contes aussi ont la vertu de l'aider à assimiler son vécu ou la réalité. D'abord, ils le rejoignent dans sa pensée et dans son expérience et, de plus, ils stimulent le jeu représentatif en suscitant la projection de soi et l'identification à des personnages fantastiques. Tout cela dispose l'enfant à recevoir les messages que les scénarios suggèrent et à exercer une autonomie fondamentale : le fait de penser par lui-même, d'interpréter ou de créer... pour s'exprimer, fortifier son identité, contenir ses émotions ou apaiser ses anxiétés. Voilà comment les contes sont « thérapeutiques ».

Ceux que Danielle nous offre s'inscrivent dans la lignée de ce merveilleux travail qu'elle aimait tant faire auprès des enfants – les aider à mieux comprendre leurs émotions, leurs désirs, leurs relations et à développer des ressources pour affronter leurs inquiétudes, leur vie – et auprès des parents – les inspirer pour qu'ils accompagnent l'enfant et le soutiennent. Saisissez ici l'occasion d'entrer dans l'univers de l'enfant, d'être à son écoute, d'échanger avec lui. Poussez-le doucement à élaborer à propos des personnages ou de lui-même et voyez surtout à ce qu'il se sente compris. Alors, il s'ouvrira aux notions de la vie que les contes lui traduisent dans un langage qui le touche et l'implique, celui de l'imaginaire... Laissez donc un peu de côté votre rationalité et embarquez-vous avec lui vers la planète Espoir.

*Jovette Boisvert, psychologue**

*Jovette Boisvert est également l'auteur des courts textes liminaires qui accompagnent chaque conte.

Introduction

Les contes sont des histoires chargées de symboles et d'images qui permettent à tous ceux qui les lisent ou les entendent de donner un sens à la vie et de résoudre des problèmes personnels.

Par exemple, dans *Le Petit Poucet*, l'enfant apprend qu'il peut s'éloigner de ses parents, donc grandir, sans risquer de les perdre pour toujours. Il suffit qu'il soit assez malin et astucieux pour trouver le moyen de revenir vers eux quand il en éprouve le besoin.

Bruno Bettelheim, dans *Psychanalyse des contes de fées*, a décrit l'importance des contes pour l'imaginaire de l'enfant et montré qu'ils constituent de puissants outils pour atteindre l'inconscient.

Quel parent n'a pas inventé des histoires à ses petits à l'heure du coucher ? Lorsque l'histoire vient du fond du cœur, lorsque les images évoquées frappent l'imaginaire de l'enfant, n'apaisent-elles pas ? Plaisir de raconter, plaisir d'écouter... et plaisir d'inventer.

Des contes plus modernes (pensons à l'énorme succès de livres comme *Le Petit Prince* d'Antoine de Saint-Exupéry ou *L'alchimiste* de Paulo Coelho) nous font découvrir de nouvelles fleurs dans notre jardin intime. Ils touchent notre sensibilité et nous permettent d'envisager intuitivement des solutions aux inévitables conflits de la vie. Tous les contes, qu'ils soient anciens ou modernes, font du bien parce qu'ils nous parlent de la quête éternelle de l'être humain, celle de sa vérité.

Voici un recueil de contes qui s'adresse à tous les enfants, car les émotions qu'ils véhiculent sont familières à chacun. L'enfant hyperactif se retrouvera en Vitou, le petit tremble qui bouge tout le temps ; l'enfant dépressif s'identifiera à Zacharie ; et l'enfant agressif se reconnaîtra en Toxon, le rhinocéros qui pense avoir la rage. Ce livre est aussi destiné à tous les parents, qui le trouveront surtout utile dans les moments de désarroi.

Chaque conte a été imaginé en fonction de grandes problématiques qu'on retrouve nécessairement chez les enfants tout au long de leur développement : l'anxiété, la dépression, l'agitation, les phobies et les problèmes de socialisation. Le dernier conte, celui de la petite planète égarée, concerne l'estime de soi de l'enfant et traite de son immense goût de vivre. Parents et enfants se reconnaîtront certainement sous les traits des habitants de l'un ou l'autre des cinq pays de la planète Harmonia.

Ces *Contes de la planète Espoir* peuvent être lus à l'enfant ou être lus par l'enfant lui-même. Dans le deuxième cas, il est préférable que les parents en prennent d'abord connaissance. Cela leur permettra d'échanger avec l'enfant sur les différents thèmes traités. Il ne s'agira pas ici d'analyser les contes, mais plutôt de permettre à l'enfant de parler de lui et d'envisager ses propres solutions. On pourra aussi lui suggérer de dessiner une scène qui l'a touché particulièrement ou lui demander d'en donner sa propre version.

Ces contes ne sont pas pédagogiques mais, comme tous les contes, ils sont thérapeutiques. Ils se veulent des baumes pour l'âme. Les enfants d'aujourd'hui, comme ceux d'hier, ont vraiment besoin d'imaginer et d'espérer. N'oublions pas, en effet, qu'ils vivent dans un contexte où chacun court après la Lune sans jamais l'attraper. Tiens, cela ferait un autre très beau conte qui pourrait commencer par : « Il était un fois un enfant fasciné par la Lune. Il avait conçu le projet farfelu d'en faire son cerf-volant. Un jour... »

Pour apprendre que la différence entre les uns et les autres est intéressante, et que se laisser aller à être soi-même et à s'exprimer enrichit nos relations.

Mimi, la petite fourmi solitaire

La famille de fourmis Millette habitait avec bien d'autres familles une grosse motte de terre en plein milieu d'un champ.

Les Millette étaient gourmandes et bonnes travailleuses. Elles cherchaient constamment de la nourriture et faisaient sans cesse du ménage.

Mimi Millette était l'aînée d'une famille de cent vingt-deux fourmis. À tous les trois jours, c'était la fête de l'une d'entre elles. Friandes de sucre, les fourmis étaient très contentes de pouvoir déguster des gâteaux d'anniversaire plusieurs fois par semaine. Elles étaient toutefois déçues que leurs parents n'aient pas le temps de jouer avec elles, parce qu'ils étaient trop occupés à ramasser les miettes de tous ces morceaux de gâteaux au chocolat ou aux noix.

Mimi la fourmi avait également de nombreux cousins et cousines : environ huit mille neuf cents. Cela fait vraiment une très grosse famille ! Le moins qu'on puisse dire, c'est que Mimi était bien entourée. Et pourtant, elle se sentait extrêmement seule, car elle n'avait pas d'amis.

En fait, on peut vivre avec plein de gens, on peut aller à une école où il y a cinq cents enfants et se sentir aussi seul qu'une petite fourmi assise au sommet d'une montagne de sable et pleurant à chaudes larmes sous le soleil de midi. Mimi vivait donc un drame dont les autres fourmis ne se doutaient pas.

Un jour, ou plutôt une nuit, alors qu'elle n'arrivait pas à trouver le sommeil, Mimi soupirait doucement dans son lit. Elle faisait attention de ne pas réveiller ses frères et sœurs, car ils étaient douze à partager le même lit. Elle pensait qu'elle avait sûrement de grands défauts pour que les autres fourmis refusent de jouer avec elle. Elle s'imaginait qu'elle était moins intelligente, moins belle et moins gentille que les autres. Pourtant, ses parents, qui l'aimaient beaucoup, lui disaient souvent qu'elle était jolie et qu'elle avait de belles qualités. De plus, elle avait de bonnes notes à l'école et aidait souvent son enseignante à nettoyer la classe. Alors, qu'est-ce donc qui clochait en elle ? Épuisée, elle finit par s'endormir.

Cette nuit-là, elle fit un rêve étrange : elle se trouvait sur le balcon d'une vieille maison au toit de chaume. C'était une maison basse qui n'avait qu'un seul étage et qui surplombait une petite vallée. Tout autour, il n'y avait que des champs à perte de vue. Les blés étaient mûrs et le soleil, dardant ses rayons sur les épis, en faisait une mer dorée. Le vent soufflait doucement et les faisait onduler à sa guise. On aurait dit que des vagues les parcouraient. Il faisait chaud, mais c'était une chaleur douce, agréable, réconfortante. C'était merveilleux et Mimi, dans son rêve, sentit la joie l'envahir.

Puis tout à coup, elle se rendit compte qu'elle était complètement seule dans ce monde idyllique. Elle entreprit de chercher d'autres fourmis, d'abord sur la galerie, puis dans la maison et enfin dans les champs. Au fur et à mesure que sa quête progressait, l'angoisse la gagnait. Le soleil devenait trop cuisant, les blés étaient trop serrés, presque hostiles, et la maison lui sembla soudainement vieille et laide. Elle vit des murs jaunis et des meubles poussiéreux là où il y avait auparavant des fleurs et des tapis moelleux. La joie la quitta pour de bon. Et c'est à ce moment qu'elle se réveilla, le cœur battant.

Pendant des jours et des jours, elle fut habitée par ce rêve. Elle le relégua ensuite au fond de sa mémoire de fourmi.

Mimi était toujours aussi seule. Elle partait le matin pour se rendre à l'école en suivant chaque fois le même chemin. Elle croisait chaque fois Quiqui et Coco. Ces deux-là étaient inséparables et ne la regardaient même pas. Un peu plus loin, elle faisait un détour pour ne pas tomber sur la bande à Toto. Si, par malheur, ce petit groupe de trouble-fêtes apparaissait devant elle, elle se mettait à trembler. Toto et ses copains aimaient faire peur aux autres ; ils se sentaient aussi forts que Superman. Ils étaient satisfaits quand ils voyaient Mimi trembler et l'agaçaient encore plus. Finalement, Mimi s'arrangeait pour arriver à l'école juste à l'heure pour la classe afin de ne pas avoir à attendre toute seule dans la cour.

En classe, Mimi, qui savait toujours ses leçons, était très appréciée de son enseignante et on la traitait parfois de chouchou. On sait bien que les petites fourmis n'aiment pas les chouchous et c'est peut-être parce qu'elles sont fâchées de ne pas être elles-mêmes les préférées.

Au moment de la récréation, Mimi faisait quelquefois l'effort d'aller demander à Titi, la fourmi la plus populaire de toutes, si elle pouvait jouer avec elle. Elle l'implorait presque, mais Titi refusait la plupart du temps. De guerre lasse, Mimi longeait les murs de l'école et recherchait la compagnie de la surveillante.

Quand venait le temps de travailler en équipe, personne ne la choisissait. L'enseignante devait alors l'imposer à un groupe et cela déplaisait à tout le monde.

Pendant les fins de semaine, c'était encore pire. Ses frères et sœurs recevaient plein d'amis et s'amusaient beaucoup. Jamais personne ne venait voir Mimi. Elle jouait parfois avec les amis de son jeune frère, mais ce dernier s'écriait: « Maman, Mimi nous dérange ! » Et sa maman lui proposait de l'aider à balayer le nid. Mimi était l'aînée, et les aînées ont l'habitude qu'on leur demande d'être raisonnables et serviables.

La petite fourmi avait trouvé un moyen de se désennuyer. Lorsqu'elle n'aidait pas sa maman, elle lisait des histoires de rhinocéros et de girafes, de dragons et de coccinelles. Elle faisait ainsi de beaux voyages dans sa tête. Mais cela ne remplaçait pas les amis.

Un beau matin d'octobre, frisquet mais ensoleillé, tout sentait bon les feuilles d'automne imprégnées de terre mouillée et éclaboussées d'une lumière spéciale, comme c'est souvent le cas en cette saison. Ce matin-là, Mimi décida de ne pas aller à l'école. Elle dit à sa maman :

– Maman, je suis fatiguée aujourd'hui, j'ai un chat dans ma gorge de fourmi.

La maman ne douta pas un instant de ce que lui disait sa petite fourmi et lui permit de rester bien au chaud dans le nid. Elle l'avertit toutefois qu'elle serait trop occupée pour rester auprès d'elle.

– Ce n'est pas grave, maman, répondit Mimi, je vais lire dans mon lit.

Mimi, la gentille fourmi, venait de conter un gros mensonge. Elle se sentait un peu mal en dedans. Elle était elle-même surprise de voir qu'elle pouvait faire une chose pareille. Elle lut dans son lit pendant une grosse heure puis décida, sans en parler à sa mère, de quitter la fourmilière pour aller se promener au gré de sa fantaisie. Elle se sentait à la fois fière de prendre une si grande décision et coupable de mentir à sa maman.

Mimi joua à se cacher sous les feuilles des arbres amoncelées par terre et elle avait beaucoup de plaisir quand, tout à coup, sous une feuille de chêne, elle vit quelque chose bouger. Apeurée, elle resta figée. Qu'est-ce qui agitait cette feuille ? C'était un petit ver de terre entortillé autour d'une tige. Le ver de terre vit la fourmi et lui demanda son aide. Celle-ci, qui avait un grand cœur malgré son corps minuscule, s'approcha doucement du ver de terre et travailla avec acharnement à le délivrer.

– Je m'appelle Luisant, lui apprit le ver de terre. Et toi, comment t'appelles-tu ?

– Je m'appelle Mimi, la fourmi, répondit-elle.

Elle aurait bien aimé demander à Luisant de jouer avec elle, mais elle n'osait pas. Heureusement, Luisant était un ver de terre téméraire, pas gêné pour deux sous.

– Merci, Mimi, de m'avoir délivré. À quoi va-t-on jouer maintenant ?

Mimi ne savait pas si elle pouvait jouer avec un ver de terre. Elle ignorait également si sa maman et son enseignante seraient d'accord avec cela. Elle savait en tout cas qu'elle aurait dû être en classe à cette heure-là.

– Écoute, si tu ne sais pas à quoi jouer, je te propose le jeu de la cachette dans les feuilles. Je compte jusqu'à trois et tu te caches, poursuivit Luisant.

Mimi sentit qu'elle était devant un grand dilemme. Si elle écoutait sa raison, si elle tenait à demeurer la fourmi parfaite, celle qui obéit toujours, ne répond jamais et qui demande aux autres ce qu'il faut faire, elle rentrerait vite à la maison et perdrait un ami. Par contre, si elle écoutait son cœur, si elle acceptait de mettre de côté sa timidité et passait outre aux critiques qu'elle formulait déjà par rapport à Luisant (« il est tout brun », « il est lent », « il ne me ressemble pas », « je parie qu'il n'a pas de bonnes notes à l'école »), elle se ferait un premier ami.

– D'accord, on joue à la cachette, mais pas trop longtemps parce que je dois rentrer chez moi, dit-elle.

Et elle s'amusa follement avec Luisant pendant cinq minutes. Après quoi, elle repartit vers son nid tout en promettant à Luisant de le rejoindre le lendemain après la classe.

Elle retourna bien vite dans son lit et se promit de tout raconter à sa maman un peu plus tard, dans quelques jours ou un jour...

Cette nuit-là, Mimi rêva à nouveau à son champ de blé doré mais, cette fois-ci, il y avait au bout du champ un arbre superbe qui abritait un tas d'insectes différents et où logeaient plusieurs oiseaux et écureuils. Mimi eut le goût de s'y rendre, mais cela nécessitait une longue marche sous le soleil de midi, ce qu'elle n'était pas encore prête à faire.

Le lendemain, Mimi était de très bonne humeur. Elle partit pour l'école, le cœur joyeux. Tout au long de la journée, plusieurs pensées la troublèrent : que se passerait-il si Luisant n'était pas au rendez-vous après l'école ? si c'était un méchant ver de terre ? si maman apprenait la vérité ? En fait, Mimi éprouvait bien de la difficulté à se laisser aller selon ses désirs, tout simplement.

Après la classe, Mimi regarda le ciel et vit que la lumière, comme dans son rêve, était magnifique. Elle avait décidé d'aller à son rendez-vous avec

Luisant, même si son cœur battait la chamade. Arrivée au tas de feuilles où elle devait rencontrer le ver de terre, elle ne le trouva pas et se mit à pleurer.

– Pourquoi pleures-tu, demanda une voix charmante ?

Mimi leva la tête et aperçut un oiseau-mouche qui battait si vite des ailes qu'on ne les voyait presque pas. Normalement, elle n'aurait pas répondu à cet inconnu, mais sa peine était si grande qu'elle lui confia :

– Mon ami le ver de terre devait venir me rejoindre et il n'est pas là. Je savais bien que personne ne voudrait jouer avec moi. Personne ne m'aime, moi !

– Voyons, dit Volage, car c'est ainsi que ne nommait l'oiseau, tu me sembles une fourmi bien sympathique. Je veux bien jouer avec toi.

– Bonjour, Mimi. Je pense que je suis un peu en retard. Mais j'avais oublié de te dire que j'ai un petit défaut, celui d'être lent, dit tout à coup Luisant qui arrivait en sifflotant.

– Tu as un nouvel ami, Mimi ! Chic on va être trois pour jouer !

Mimi se dit que Luisant était vraiment très sûr de lui. Il était capable de parler de son défaut sans embarras et de s'intégrer rapidement à un groupe d'amis.

Mimi, Luisant et Volage s'amusèrent comme des fous. Chaque fois que Mimi formulait dans sa tête une critique sur les autres, et cela lui arrivait souvent, elle la gardait pour elle et se concentrait sur son plaisir.

Sur le chemin du retour, elle tomba nez à nez avec son papa. Celui-ci lui demanda ce qu'elle faisait dehors à cette heure-là. Mimi éclata en sanglots et lui raconta son histoire. Elle lui dit qu'elle avait désobéi, mais qu'elle s'était fait des amis et que cela était très important pour elle. Elle lui apprit qu'elle était malheureuse depuis longtemps parce qu'elle se sentait seule. Cela surprit son père, qui se rendit compte que sa petite fourmi n'était pas celle qu'il avait toujours imaginée: obéissante, gentille, serviable, sans défauts. Il découvrit une petite fourmi attendrissante, sensible et tellement attachante qu'il se réjouit. Il lui raconta ses propres expériences d'amitié et lui dit:

– Je suis certain, Mimi, qu'une merveilleuse petite fourmi comme toi peut se faire des amis.

Depuis ce jour, Mimi entretient son amitié avec Luisant et Volage. Bien sûr, ils se querellent à l'occasion, ils se boudent parfois, mais ils se réconcilient toujours parce qu'ils savent que personne n'est parfait et que rien n'est plus précieux que l'amitié. Mimi a appris de Luisant la joie de vivre, l'assurance face aux autres et la gentillesse. Volage, pour sa part, lui a montré la légèreté du cœur, l'enthousiasme et le sens du jeu en équipe. Tout cela a aidé Mimi à se faire de nouveaux amis à l'école et dans la fourmilière.

Mimi est maintenant une amie recherchée. Cela n'empêche pas qu'elle aime encore aujourd'hui s'isoler avec ses livres préférés ou faire le ménage du nid avec sa maman. Après tout, pourquoi pas ?

Parfois, lorsqu'elle repense au passé, Mimi rit de ses maladresses, de son désir exagéré d'être parfaite et de son formidable orgueil qui lui a joué de fort vilains tours. La nuit, il lui arrive encore de rêver à son champ de blé. Mais, dans son rêve, elle a quitté la maison au toit de chaume et elle la contemple maintenant assise dans l'arbre géant et entourée d'insectes aimables. Elle a appris que le chemin est long pour se rendre à l'arbre de vie, celui qui accueille les êtres vivants tels qu'ils sont et leur fait une place bien à eux. Elle sait maintenant que ce chemin est celui qui mène au bonheur.

Derrière la colère se cachent parfois la peur et la tristesse. Aider l'enfant à comprendre son émotion et à la verbaliser est nécessaire pour qu'il apprenne à la gérer.

Toxon, le rhinocéros qui croyait avoir la rage

Il était une fois un rhinocéros âgé de dix ans. Grand, gros et fort, il se nommait Toxon. Il avait une belle corne pointue sur le nez et il la portait fièrement en se pavanant. Il n'aimait pas seulement montrer sa corne, il aimait aussi l'utiliser. Mais il le faisait surtout lorsqu'il était en colère. Il fonçait alors sur tout ce qui l'entourait.

Il attaquait les autres rhinocéros, les arbres et tout ce qui se trouvait sur son chemin. Il évitait toutefois les pierres parce qu'il avait peur de s'y casser la corne.

Toxon avait des parents qui étaient très respectés par le reste du troupeau. À dire vrai, son papa était si susceptible que personne n'osait vraiment l'approcher. Il ne tolérait pas que d'autres rhinocéros le contredisent ou le critiquent. Il n'appréciait pas non plus que quelqu'un passe des commentaires sur le comportement de Toxon.

À la maison, M. Rhinocéros exigeait de tous une obéissance aveugle. Il fallait lui obéir tout de suite, sans poser de questions. On ne demandait pas : « Est-ce que je peux le faire tout à l'heure ? » « Pourquoi est-ce que c'est moi qui dois le faire ? » « Est-ce que je peux le faire à ma manière ? » Non. Chaque fois que M. Rhinocéros donnait un ordre, que ce soit à Mme Rhinocéros ou à ses enfants, ils s'attendait à ce que sa demande soit satisfaite sur-le-champ.

Mme Rhinocéros était une maman dévouée qui donnait une bonne éducation à ses enfants. Mais elle craignait son mari et n'osait pas s'opposer à lui. C'est que Mme Rhinocéros portait en elle de bien mauvais souvenirs. En effet, lorsqu'elle était petite, son père buvait beaucoup d'une eau boueuse qui rend fous certains rhinocéros. Et quand celui-ci en avait bu, il se fâchait facilement. Elle se réfugiait alors derrière un gros arbre en tremblant et elle attendait que l'orage passe. Comme elle avait eu souvent très peur, elle continuait à craindre la colère des autres et, en particulier, celle des rhinocéros mâles.

Toxon avait donc un papa irascible et une maman peureuse. Mais tous deux voulaient bien faire leur travail de parents.

Toxon était un jeune rhinocéros qui semait la terreur autour de lui parce qu'il était presque toujours en colère. Évidemment, sa maman détestait le voir ainsi, mais comme elle avait un peu peur de lui, elle laissait M. Rhinocéros intervenir. Celui-ci disputait son fils et lui donnait même à l'occasion des coups de pattes sur ses grosses fesses dures. Toutefois, cela ne l'empêchait pas de raconter souvent les bagarres de Toxon avec une certaine fierté :

– Mon fils n'est pas un lâche. Il est fort et il sait se faire respecter. Que les autres arrêtent de l'agacer et tout ira bien !

Toxon entendait parfois son père relater ses mauvais coups de corne comme s'il s'agissait d'exploits. Il se disait alors : « Mon père est fier de moi. Je ne dois pas le décevoir. Je dois continuer à être le plus fort de tous les petits rhinocéros. »

Mais il y a toujours un prix à payer pour être le plus fort. Ainsi, Toxon faisait fuir tous les rhinocéros de son âge... ou presque. Il n'y avait que deux rhinocéros qui acceptaient de s'amuser avec lui. Le premier, Roublard, était petit, toujours sale et aimait jouer de vilains tours. Par exemple, un jour, il avait attaché à un gros arbre la patte d'un vieux rhinocéros albinos qui dormait. Après quoi, il avait mis le feu à un tas de branches mortes et avait crié : « Au feu, au feu ! » Le vieil animal presque aveugle avait été pris de panique, mais il n'avait pas pu s'enfuir. Il était tombé sur le nez et s'était blessé, ce qui avait fait rire Roublard.

Le deuxième ami de Toxon, un rhinocéros très faible qu'on appelait Maigrelet, avait tellement peur de tous les rhinocéros qu'il préférait s'associer à Toxon plutôt que de trembler tout le temps. Mais Toxon avait fait de Maigrelet son souffre-douleur, presque son esclave.

Néanmoins, Toxon n'était pas toujours bien dans sa peau. Il n'éprouvait pas de plaisir, comme Roublard, à faire mal aux autres sans raison. Il n'aimait pas non plus abuser d'un plus faible que lui comme Maigrelet. Il était las de semer la terreur et il aurait bien aimé rire et s'amuser comme tout le monde.

Il se mit à réfléchir et se demanda pourquoi il se mettait toujours en colère. Il se questionna sur ce qui clochait en lui, ce qui était inhabituel, car on ne lui avait pas appris à le faire. Il décida de partir à l'aventure dans la savane, à la recherche de quelqu'un qui l'aiderait à comprendre son comportement.

La savane était belle sous le soleil et l'air était brûlant. Toxon avait un peau tellement épaisse qu'il ne souffrait pas de la chaleur. Il rencontra des gazelles et des girafes qui ne faisaient aucun cas de lui. Il trouva très étrange de croiser des animaux qui ne le craignaient pas. Mais il se fit piquer sur le museau par un insecte. Il se fâcha tout de suite et donna des coups de corne dans la terre. Un nuage de poussière l'enveloppa aussitôt. Complètement sale, il se mit à la recherche d'un point d'eau pour se laver.

Toxon atteignit bientôt une rivière et s'y baigna avec plaisir. Tout à coup, il entendit une voix aiguë lui dire :

– Attention, rhinocéros, ne sais-tu pas que cette rivière est infestée de piranhas et que ces petits poissons peuvent dévorer un gros animal en quelques minutes ?

Toxon se retourna et vit un serpent d'au moins deux mètres de long enroulé sur la branche d'un arbre. Il se mit en colère et fonça sur l'arbre, mais celui-ci était solide et ne fut même pas ébranlé.

– Qu'est-ce qui te prend, imbécile ? siffla le serpent. Je ne fais que t'avertir du danger, c'est tout !

Toxon devint furieux parce que le serpent l'avait traité d'imbécile. Il chercha en vain à l'atteindre avec sa corne.

Au même moment, une hyène passa en ricanant. Toxon, croyant qu'elle riait de lui, chargea dans sa direction. Plutôt myope, comme le sont tous les rhinocéros, il manqua sa cible et s'écrasa par terre. La hyène se mit à rire de plus belle mais, en reculant, elle perdit l'équilibre et glissa dans la rivière. Aussitôt, elle fut attaquée par une colonie de piranhas qui n'en firent qu'une bouchée. Toxon resta figé sur place, le cœur battant et les pattes molles.

– Je te l'avais bien dit, siffla le serpent en se tortillant.

Le jeune rhinocéros crut alors que ce serpent était savant et se risqua donc à lui demander conseil. Cela lui prit beaucoup de courage, parce qu'il avait l'habitude d'utiliser plus souvent sa corne que la parole pour régler ses problèmes.

– Toi qui sembles connaître bien des choses, peux-tu répondre à ma question ? Pourquoi suis-je toujours en colère ?

Le serpent est un animal érudit, mais parfois menteur. Il voulut faire étalage de ses connaissances.

– Les animaux qui sont toujours en colère ont une maladie. Cette maladie s'appelle la rage et elle est mortelle. Éloigne-toi de moi car ce mal est très contagieux.

Le serpent prit alors la fuite pour s'éloigner de Toxon.

Celui-ci apprenait donc tout à coup qu'il était malade et, pire, que sa maladie était mortelle. Il pensa avoir trouvé l'origine de ses colères et se dit qu'il n'était pas responsable de ce qu'il faisait. « Je ne suis qu'une pauvre victime de cette maladie », pensa-t-il.

« C'est bizarre, se dit Toxon, je me sens en pleine forme, je n'ai pas mal nulle part, j'ai un bon appétit et je dors très bien. C'est une maladie vraiment bizarre ! » Et il poursuivit son chemin.

Absorbé dans ses pensées, il n'aperçut pas le troupeau d'éléphants qui avançait dans sa direction. Toutefois, la terre tremblant sous leurs lourdes pattes le fit sortir de sa léthargie. Il vit alors les énormes bêtes avec leurs grandes trompes levées vers le ciel et il entendit leurs barrissements. Le spectacle était inouï. C'était la première fois que Toxon voyait ces mastodontes et il lui revint instantanément les histoires effrayantes que son père racontait à leur sujet.

Toxon ne pouvait pas fuir, il devait leur faire face. Il pencha la tête pour mettre sa corne en évidence, se rendant bien compte qu'il ne pourrait jamais gagner un tel combat. Il n'y avait pas de colère en lui, mais il ressentait un mélange de peur, d'appréhension et de courage. Toxon se rappela soudain sa maladie.

Alors, il prit la parole :

– Éléphants, ne m'approchez pas. Le serpent m'a dit que j'avais la rage et que je suis contagieux. Passez votre chemin, laissez-moi mourir en paix.

Il se prépara tout de même à combattre. Le chef des éléphants fit signe au troupeau de s'arrêter. Il s'approcha lentement du rhinocéros et il lui adressa la parole :

– Jeune rhinocéros, tu sembles avoir une mauvaise opinion de nous, les éléphants. Nous sommes pourtant des êtres pacifiques et nous ne te voulons aucun mal. Il ne faut pas te fier à notre apparence et croire que nous sommes violents. Nous parcourons la savane sans intentions belliqueuses et nous tirons notre assurance de notre taille et de notre force. Nous nous nourrissons de feuilles et nous profitons de notre vie de famille et de clan.

Toxon était éberlué.

– Je suis surpris de ce que vous me dites et j'aimerais en savoir davantage sur vous. Mais il faut que je vous quitte pour ne pas mettre votre vie en péril car, voyez-vous, je suis atteint de la rage et c'est pour cette raison que je suis presque toujours en colère.

Le chef des éléphants fit signe à sa compagne de le rejoindre. Toxon fut impressionné par le respect que les deux animaux se manifestaient. Pendant que l'éléphante s'approchait, le chef rassura Toxon :

– Ma compagne connaît bien toutes les maladies de la région. Les herbes qui guérissent n'ont aucun secret pour elle. Je te laisse entre ses mains.

– Jeune rhinocéros, dit l'éléphante guérisseuse, la rage est une maladie qui s'attrape par une morsure. As-tu déjà été mordu par un animal enragé ?

– Non, répondit Toxon, je suis en colère depuis… aussi longtemps que je me rappelle.

– Donc, tu n'as pas la rage et ta colère a une toute autre origine. Parle-moi de toi et de ta famille.

L'éléphante et le rhinocéros discutèrent durant plusieurs jours et plusieurs nuits. Toxon découvrit peu à peu l'origine de sa colère et comprit beaucoup de choses : d'abord, qu'il était un rhinocéros au tempérament bouillant et que cela était dans sa nature ; ensuite, il se rendit compte qu'il se sentait obligé de démontrer à son père qu'il était puissant et fort.

Il comprit aussi que sa mère était incapable de lui imposer des limites à cause de ses propres peurs et qu'il était lui-même très en colère contre ses parents qui ne lui permettaient pas de dialoguer avec eux. Enfin, il sentit qu'il y avait, à la source de toute cette colère, de la tristesse, de la peur et un grand besoin d'amour et de tendresse.

Toxon apprit donc, comme il l'avait souhaité en entreprenant son voyage, qui il était vraiment. Il lui restait encore à apprendre à vivre avec son tempérament colérique et, surtout, à exprimer son besoin d'amour. Il suivit plusieurs mois le troupeau d'éléphants afin d'apprendre certaines de leurs façons de faire. Mais comme il n'est pas un éléphant, il comprit bientôt qu'il devrait chercher d'autres réponses en lui. Il reprit donc le chemin de sa maison.

Ayant compris l'origine de ses colères, Toxon est plus calme, plus serein et plus heureux. Mais il lui arrive encore de se fâcher. Dans ces moments-là, il prend une grande respiration et il cherche la meilleure façon de faire connaître ses sentiments. La plupart du temps, il essaie de s'expliquer avec ses parents et avec les autres petits rhinocéros. Ses colères sont cependant moins intenses et durent moins longtemps, ce qui lui évite bien des problèmes.

Grâce à son changement d'attitude, Toxon est même devenu un conteur recherché ! Au cours de soirées entre amis, il parle avec ferveur, pendant des heures, de sa belle aventure au pays des éléphants et de la quête de sa propre vérité.

L'enfant peut apprendre à reconnaître et à apprivoiser son anxiété qui peut même lui être utile.

Aude, la fillette changée en pierre

Il était une fois une petite fille de huit ans qui avait les cheveux châtains et de grands yeux pers. Elle était très fière de ses yeux qui passaient du vert au bleu et du bleu au gris en quelques instants. Cette petite fille délicate et toute menue, souriante et avenante, se faisait facilement de nouvelles amies.

Elle n'avait qu'un ou deux petits défauts. D'abord, elle parlait tout le temps, à tel point qu'on l'avait surnommée « la petite pie ». Les pies, c'est connu de tous, sont des oiseaux qui jacassent sans cesse. Son deuxième défaut, si on peut appeler cela un défaut, était sa grande sensibilité qui en faisait une enfant nerveuse et inquiète. En fait, c'est parce qu'elle était nerveuse qu'elle parlait tout le temps.

Aude, c'est ainsi qu'elle s'appelait, avait deux maisons : elle vivait une semaine chez sa mère et une semaine chez son père depuis le divorce de ses parents. Elle était satisfaite de ce mode de vie, malgré la corvée de valises que cela entraînait. Ses parents demeuraient dans le même quartier et Aude pouvait aller leur rendre visite en tout temps.

Il lui était également possible d'amener ses amies dans chacune de ses deux maisons.

Aude, était fréquemment inquiète. Par exemple, lorsqu'elle avait un examen à préparer pour le lendemain, elle était prise de panique car sa mémoire refusait de fonctionner: « 4 x 8 = ? Mon Dieu, je ne le sais plus, je ne m'en souviendrai jamais », disait-elle à son père ou à sa mère. Parfois, elle se tourmentait parce que sa meilleure amie, Nathalie, refusait de jouer avec elle et lui préférait Mylène. « Mais qu'est-ce que j'ai fait pour être laissée de côté ? » pensait-elle.

Elle avait souvent de la difficulté à s'endormir tellement elle était anxieuse.

« J'ai été méchante aujourd'hui avec mon petit frère ! Papa est fâché contre moi ! Louise, mon enseignante, n'a pas répondu à ma question sur les devoirs ! Que va-t-elle dire si je fais tout de travers ? J'ai un peu mal à la gorge, je vais être malade au point de manquer mon cours de ballet et je ne pourrai pas faire le spectacle ! »

Et ainsi de suite.

Quand on est anxieux, on a l'impression qu'un papillon habite dans notre estomac. Il dort quelquefois calmement et tout va bien. Mais lorsqu'il se réveille et bat des ailes de plus en plus vite, il se produit quelque chose de bizarre et on se sent très mal. C'est exactement ce qui se passait dans le cas de la petite Aude.

Un jour, elle partit en vacances au bord de la mer avec son frère, son père et Marie, la conjointe de ce dernier. Ils avaient décidé de faire du camping. Ils plantèrent donc leur tente dans un bois, pas très loin d'une jolie plage de sable blanc. Il faisait beau et chaud et Aude était d'excellente humeur.

Tous se passa bien, jusqu'au jour où une vieille dame fit son apparition dans les parages. Elle avait de longs cheveux blancs qui tombaient sur ses épaules voûtées et son regard était fuyant. Elle ne souriait jamais et marmonnait d'étranges paroles entre ses dents. Les enfants la surnommèrent « la sorcière ».

Aude se sentait très mal à l'aise dès qu'elle la voyait. Comme pour faire exprès, la dame âgée venait tous les jours s'installer près d'eux sur la plage.

Jour après jour, l'anxiété d'Aude grandissait et elle imaginait toutes sortes d'histoires effrayantes au sujet de cette sorcière. Le petit papillon battait des ailes de plus en plus souvent dans son estomac et ses vacances devenaient de moins en moins agréables. Jamais, au grand jamais, elle ne s'aventurait seule sur la plage si la vieille dame s'y trouvait.

Un jour, Aude aidait Marie à préparer le souper. Lorsque le repas fut presque prêt, celle-ci lui demanda d'aller chercher son père à la plage. Elle partit le cœur léger, sans penser à rien d'autre qu'au bel après-midi qu'elle venait de passer et au délicieux repas qui l'attendait au retour. Arrivée à la plage, Aude chercha son père, mais elle ne le trouva nulle part. Comme elle s'apprêtait à quitter les lieux, elle se retrouva face à face avec la vieille dame. Celle-ci lui barra le chemin et lui dit :

– Petite fille, pourquoi me fuis-tu ? Tu sembles avoir peur de moi ! Viens plus près, nous avons à parler toutes les deux.

Aude crut se retrouver au cœur d'un cauchemar. Le ciel s'était tout à coup assombri et la mer semblait complètement démontée. Prise de panique, elle se mit à pleurer. La vieille dame la toucha et c'est alors que le drame se produisit : Aude, en un instant, se transforma en pierre ronde et lisse et « la sorcière » disparut.

Peut-on imaginer ce que cela peut être de devenir, comme ça, d'un seul coup, une pierre ? Aude ne pouvait plus bouger et devait rester là, sans parler. Après quelques minutes très angoissantes, elle se rendit compte qu'elle restait quand même une petite fille à l'intérieur de la pierre. Elle pouvait penser, elle pouvait éprouver des sentiments ainsi que voir et sentir les choses. Elle se dit que tout n'était peut-être pas perdu.

C'est à ce moment-là que son père sortit de l'eau. Il avait nagé si loin dans la mer qu'Aude n'avait pu l'apercevoir. Il passa à côté d'elle sans même la remarquer. Celle-ci était au supplice parce qu'elle était incapable d'attirer son attention. Un peu plus tard, son père revint avec son frère et ils la cherchèrent en vain. Effondrés, ils croyaient qu'elle s'était noyée ou perdue dans le bois qui sépare le campement de la plage. Ils se rendirent au village pour alerter les policiers.

Pendant ce temps-là, Aude, complètement impuissante, ne pouvait que subir sa vie de pierre. Des insectes de sable s'aventurèrent sur son dos et elle les trouva doux et légers. Puis, le vent se leva et caressa son corps lisse tout en lui murmurant :

« Aude, tu as changé d'apparence, mais tu fais toujours partie de l'univers. Fais confiance à la vie. »

Elle ne comprit pas ce que le vent voulait dire, mais fut incapable de le questionner.

Le soleil était sur le point de se coucher et Aude ne put qu'admirer l'intensité de cette boule de feu incandescente, la regarder se répandre sur la ligne d'horizon puis s'abîmer dans les flots bleus. Impressionnée par la beauté de ce spectacle, elle oublia un moment sa panique intérieure. Elle médita et s'aperçut que les autres pierres qui partageaient avec elle ce coin de plage en faisaient autant. Tout était calme et paisible.

Aude sentit qu'elle devait se laisser aller et communier avec la nature qui l'entourait. Ce n'était pas facile parce qu'elle était habituée à parler, à pleurer ou à bouger lorsqu'elle était anxieuse. De plus, ses craintes étaient nombreuses et bien fondées. Mais que pouvait-elle faire d'autre, sinon accepter d'être devenue une pierre et observer le paysage qui s'offrait à elle ? Plus elle regardait ce qui s'offrait à sa vue, plus l'univers lui semblait riche et varié. Des oiseaux volaient au-dessus de la mer, le sable était grouillant d'insectes affairés à la recherche de nourriture, les arbres en bordure de la plage semblaient assoupis et un doux murmure agitait leurs feuilles. Les nuages éparpillés changeaient souvent de forme et Aude essayait de trouver à quoi ils ressemblaient : « Ce petit nuage, là-bas, a l'air d'une tortue et l'autre, juste à côté, a la forme d'un dragon.» Ce coin du monde était beau et bon, et Aude, à force de l'observer, s'apaisa peu à peu.

Son père, Marie, son frère et des policiers surgirent sur la plage. Même sa mère, qu'on avait dû avertir de sa disparition, était là. Tous la cherchèrent sans succès pendant de longues heures. Ils décidèrent enfin d'aller se reposer et de revenir le lendemain.

Aude se mit à penser à toutes les années qu'elle avait passées à se tracasser à propos de mille et une choses. Ses anciens soucis lui parurent tout à coup futiles: « Si j'avais su ce qui allait m'arriver, j'aurais profité davantage de tous les plaisirs, petits et grands, qui m'étaient offerts jour après jour et j'aurais cherché à calmer le papillon dans mon estomac. »

Soudain, elle aperçut au bout de la plage cette vieille dame qu'elle avait surnommée « la sorcière » qui se dirigeait vers elle d'un pas déterminé. Celle-ci s'arrêta et la prit dans ses mains avec précaution.

Aude, la petite pierre, se mit aussitôt à pleurer. Mais, cette fois-ci, ce n'était pas de peur. Elle pleurait parce qu'elle s'ennuyait de ses parents et qu'elle pensait à toutes les joies qui peuplent la vie des enfants et auxquelles elle devait renoncer. Elle s'abandonna à son sort. Ses larmes, chaudes et sincères, finirent par se frayer un passage dans la pierre et s'y creuser un sillon. Celui-ci s'élargit tant et tant qu'il fit éclater la pierre.

Que se passa-t-il alors? Au cœur de la pierre se cachait l'âme de la petite fille. La Lune, cette déesse mère qui protège les enfants, enveloppa cette âme de ses rayons magiques. Et, par miracle,

Aude redevint une fillette de huit ans. À ses côtés, se tenait la vieille dame. Aude la regarda bien en face et ne s'enfuit pas. La dame lui sourit et lui dit :

– Petite fille, je suis heureuse de te voir. Je savais que tu aurais la force nécessaire pour traverser cette épreuve. Je suis fière de toi.

Son père, sa mère et des dizaines de bénévoles du village voisin la trouvèrent au petit matin, assise sur la plage de sable blanc. Elle raconta calmement son histoire, mais personne ne la crut. On pensa qu'elle s'était endormie au soleil dernière des rochers et qu'elle avait rêvé cette aventure. Quant à la vieille dame, on ne la revit jamais.

Aujourd'hui encore, Aude a des soucis. Mais lorsqu'elle sent que le papillon qui habite son estomac se réveille, elle le rendort en lui comptant son histoire et lui donne une place dans le paysage d'été qu'elle a conservé au fond de son cœur.

Elle fait aussi tout son possible pour régler chaque jour ses petits problèmes et pour agir plutôt que d'alimenter ses inquiétudes. Elle dit aux autres ce qu'elle ressent vraiment plutôt que de parler sans arrêt pour ne rien dire.

Aude est une petite fille comme toutes les autres. Elle rit, elle pleure, elle invente des histoires et elle éprouve parfois de la peur. Toutefois, elle est aussi différente des autres parce qu'elle a su conquérir la paix du coeur. Cette paix l'habite de plus en plus souvent et elle la cultive comme une belle fleur.

Il y a également autre chose qui différencie Aude des autres enfants. Au grand étonnement de tous, elle fait très attention de ne pas marcher sur les pierres qu'elle trouve sur son chemin : on ne sait jamais, elles pourraient être habitées par une âme d'enfant.

L'hyperactivité impose à l'enfant toutes sortes de difficultés. Il faut l'aider à les identifier et, par la suite, à trouver des moyens pour les surmonter.

Vitou, le petit arbre qui bougeait tout le temps

Il était une fois un petit arbre qui habitait au cœur d'une forêt magique. Dans cet endroit merveilleux où aucun être humain n'avait jamais mis les pieds, la nature était pure et belle, les animaux parlaient et les arbres marchaient.

Le petit arbre, prénommé Vitou, appartenait à la famille des Tremble. Il s'appelait donc Vitou Tremble. Il était différent des autres arbres parce qu'il bougeait de façon exagérée. La moindre brise le faisait frissonner et, dès qu'un animal le frôlait, il ne pouvait s'empêcher d'agiter ses feuilles dans sa direction. On peut imaginer ce qui se passait lorsqu'une araignée ou une chenille tentait de grimper sur son tronc encore tendre ! Vitou devenait complètement fou et se tortillait tellement que ses branches s'entremêlaient toutes, et il lui fallait chaque fois appeler à l'aide ! Heureusement, dans la forêt enchantée, ses amis arbres pouvaient venir à son secours.

Ses parents le trouvaient souvent amusant et drôle. Mais parfois, ses réactions excessives les surprenaient et il leur arrivait même d'être bien découragés de le voir si énervé. Ils étaient inquiets parce que Vitou ne semblait jamais réfléchir avant d'agir et parce qu'il lui arrivait toutes sortes d'aventures plus ou moins farfelues dont certaines pouvaient être dangereuses pour lui.

Un jour, par exemple, Vitou folâtrait sous le soleil de juillet, comme tous les petits arbres des alentours. Soudain, un nuage passa dans le ciel et Vitou leva la tête. Au même moment, un lapin poursuivit par un jeune loup affamé bondit entre ses racines. Vitou, il va sans dire, ne savait plus où regarder et se sentit tout excité. Son feuillage vira au vert foncé, la sève se mit à couler rapidement dans ses veines et son écorce eut comme la chair de poule. En gigotant, il fit une jambette au lapin avec l'une de ses racines. Ce dernier roula jusqu'au ruisseau qui coulait tranquillement tout près de là. Le jeune loup sauta dans les airs et se retrouva accroché à l'une des branches de Vitou, maintenant tout ébouriffé. Le nuage, pris de panique, se mit à pleurer et inonda toute la scène de pluie drue et froide.

Surpris, Vitou se mit en colère. Il fouetta l'air de ses branches, secoua sa crinière de feuilles et agita ses racines. Finalement, il fit tant de bruit et s'énerva tellement que les coccinelles et les papillons quittèrent son feuillage. Quant aux animaux de la forêt, ils se liguèrent contre lui, certains le boudant, d'autres lui donnant des coups de dent ou de queue, et les arbre adultes qui l'entouraient se mirent à le gronder et à crier après lui.

Le comportement de Vitou gêna beaucoup ses parents. Or, lorsque des parents sont gênés, il ont tendance à se fâcher. Et Vitou, le petit Tremble, fut puni encore un fois !

Malheureusement, les punitions n'avaient pas toujours l'effet recherché. Par exemple, quand on lui interdisait de jouer avec ses amis les oiseaux toute une semaine ou lorsqu'on l'envoyait se coucher plus tôt, Vitou avait énormément de peine. Pauvre Vitou, sept longues journées sans chanter et sans siffler avec les oiseaux ! Et lui qui détestait dormir, en plus ! Il pensait que plus personne ne l'aimait ou le comprenait. Quelques minutes plus tard – les petits arbres hyperactifs bougent vite, mais ils pensent aussi très vite –, il se mettait dans une grande colère qui lui faisait faire des bêtises, et il était puni de plus en plus souvent. Vitou allait même jusqu'à faire semblant que les punitions ne le dérangeaient pas. La vie était devenue très difficile pour Vitou Tremble.

Ses parents l'aimaient beaucoup, mais ils ne savaient plus quoi faire pour lui apprendre à devenir un bon petit arbre raisonnable. Ils décidèrent d'aller consulter une chouette qui vivait isolée au fond des bois. Elle en avait vu bien d'autres et elle était de bon conseil.

La chouette trouva que les parents avaient bien raison de vouloir aider leur petit à devenir plus tranquille et plus réfléchi, mais elle savait aussi qu'il était dans la nature de certains arbres de plier plus facilement au vent et de bouger tout le temps. Elle expliqua donc aux Tremble que tous les arbres ont des racines qui les aident à se calmer et à rester bien ancrés dans la terre lorsqu'ils sont énervés.

– Il faut donc, dit la chouette, que Vitou se rende compte qu'il a des racines et qu'il apprenne à les utiliser. Pour le reste, il vous faut accepter votre enfant comme il est : très curieux, un peu étourdi et souvent tellement drôle. Toute cela, ajouta-t-elle, lui servira un jour, quand il sera un grand arbre beau et fort.

En effet, les petits arbres curieux deviennent souvent des inventeurs, les petits arbres agiles deviennent parfois des danseurs ou des acrobates, tandis que les petits arbres drôles deviennent presque à coup sûr des amis recherchés.

Encouragés, heureux d'apprendre que Vitou était un arbre intelligent et aimable malgré ses difficultés, les parents Tremble décidèrent d'aider leur petit à utiliser ses racines plus souvent.

Quand ils lui demandaient de faire quelques chose, comme par exemple de débarrasser ses feuilles de la poussière du vent, ils lui disaient :

– Regarde-nous bien dans les yeux et enfonce tes racines dans le sol pendant quelques secondes. Ça va ? Tu as bien compris comment secouer tes feuilles ?

Ils ne lui demandaient qu'une seule chose à la fois et lui ordonnaient de s'exécuter tout de suite.

De plus, ils avaient mis au point un petit truc avec lui. Chaque fois que Vitou s'énervait un peu trop, papa ou maman Tremble sortait un grande plume rouge qui leur avait été donnée par un perroquet et la lui montrait. C'était un code secret qui voulait dire : « Attention, pense à tes racines ! »

La plupart du temps, cela l'aidait à se calmer un peu. S'il n'y arrivait pas, l'un ou l'autre de ses parents lui disait, en secret, sans que ses amis puissent entendre :

– Vitou, mon grand, la plume rouge n'a peut-être pas suffi à te rappeler d'enfoncer tes racines dans la terre, mais il est encore temps de le faire.

Et finalement, s'il n'arrivait pas encore à se contrôler, ses parents demandaient à l'herbe folle et aux buissons des alentours d'agripper ses racines durant quelques minutes, le temps qu'il se calme. De cette façon, les parents Tremble évitaient à Vitou de subir la colère de tout le monde.

Il fallait que ses parents l'aiment beaucoup pour continuer jour après jour à lui faire penser à ses racines. De plus, ils ne cessaient pas de l'encourager à se trouver des moyens pour arriver à utiliser ses racines tout seul comme un grand de temps à autres.

Il fallait aussi que Vitou aime beaucoup ses parents pour faire tous ces efforts. Car, lorsqu'on est un petit arbre hyperactif, il est bien difficile de se calmer rapidement.

Le temps passa et Vitou devint un arbre adolescent. C'est à cette époque que son feuillage devint rouge écarlate, à la grande surprise de ses parents. Puis, il devint un arbre adulte agréable à côtoyer. Ses grandes branches fléchissaient encore sous le vent, son feuillage était souvent plus échevelé que celui de ses amis, mais chaque fois qu'il sentait sa sève bouillir dans ses veines, chaque fois qu'il avait le goût de tout faire en même temps, il repensait à la plume rouge de son enfance.

Cela le ramenait à ses racines qu'il avait musclées, année après année. Ses belles racines solides lui permettaient maintenant d'agir seulement lorsqu'il en avait vraiment envie et lorsque c'était bon pour lui et pour ceux qu'il aimait.

Des images concrètes et de la patience pour aider l'enfant à surmonter petit à petit ses peurs.

Ronron, le chaton qui avait peur de tout

Dans une jolie maisonnette vivait un chaton qu'on appelait Ronron. On le nommait ainsi parce qu'il ronflait en dormant. C'était vraiment très étrange d'entendre ronfler un si petit minou. On aurait dit qu'il se transformait en locomotive à vapeur et on s'attendait presque à le voir partir à la course en sifflant « tchou-tchou ! » C'était d'autant plus comique que Ronron était un petit chat peureux.

De quoi avait-il peur ? De tout ou de presque tout. Par exemple, lorsque sa maman quittait le salon pour aller à la cuisine et qu'il s'apercevait tout à coup de son absence, il était pris de panique et criait : « Maman, maman, es-tu là ? » Si sa maman était occupée et ne répondait pas tout de suite, il se mettait alors à pleurer et à s'énerver. Il pensait que sa maman l'avait abandonné.

Ronron était incapable de rester seul dans une pièce ou de s'endormir à la noirceur sans la présence de ses deux frères et de ses trois sœurs. Le petit chat jaune et blanc avait aussi très peur du bruit des autos dans la rue, de la souffleuse à neige, l'hiver, du tonnerre, l'été, et même de la télévision.

C'est bien simple, Ronron avait peur tout le temps et cela commençait à lui jouer de mauvais tours. Il aurait tant aimé suivre Sandra, la petite fille de la maison, jusqu'au dépanneur du coin ! Il savait qu'il n'aurait qu'à miauler en lui faisant de beaux yeux pour qu'elle lui achète une friandise. Il aurait tant voulu regarder avec Nicolas, le frère de Sandra, les films de science-fiction qu'il louait à l'occasion ! Il aurait tant souhaité aussi, comme ses frères et sœurs, jouer avec les petits amis de Sandra et de Nicolas, et courir après les ficelles et les balles qu'on leur lançait ! Mais il ne faisait rien de tout cela, car il avait trop peur et restait caché sous un meuble.

Malgré toutes ses craintes, Ronron entretenait au fond de son cœur un rêve secret : il voulait devenir explorateur. Il se voyait avec un grand chapeau et un petit foulard rouge autour du cou dans la jungle ou avec un anorak et de grosses bottes au pôle Nord. Il s'imaginait naviguant sur des rivières infestées de crocodiles ou affrontant bravement le désert du Sahara.

Parfois, Ronron rêvait la nuit aux chats d'Égypte qui avaient été des rois respectés. Il s'imaginait être le roi des rois, être LE chat ! Malheureusement, ses nuits étaient plus souvent peuplées de cauchemars effrayants : il était poursuivi par une armée de souris ou encore abandonné au fond d'un puits.

Le temps passait et le petit chat n'arrivait pas à maîtriser sa peur. Et la peur, c'est comme l'eau : si on ne fait rien pour fermer le robinet, elle coule sans arrêt et s'étend à l'infini.

Ronron sursautait sans cesse et était devenu très nerveux. Il pleurait souvent pour un rien et n'arrivait plus à s'endormir. Enfin, lorsque le sommeil le gagnait, il était si épuisé qu'il ronflait de plus en plus fort.

Ses deux frères et ses trois sœurs ne voulaient plus coucher avec lui à cause de ses ronflements et cela fit des chicanes terribles. Le papa chat, un matou tout noir aux yeux verts, en eut assez des peurs de son fils. Il avait même un peu honte de lui et le disputait fréquemment. La maman, pour sa part, comprenait son chaton parce qu'elle avait, elle aussi, certaines peurs dont elle ne parlait jamais : peur des araignées, du grille-pain et d'autres peurs encore. C'est pourquoi elle était incapable de l'aider.

La maman n'aimait pas voir pleurer son minou et elle savait qu'il se calmait lorsqu'elle le serrait contre son cœur. Aussi, le prenait-elle très souvent dans ses pattes. Mais voilà, plus elle essayait de le rassurer, plus il avait peur. C'est que Ronron se fiait de plus en plus à sa maman pour fuir ses peurs et, par le fait même, croyait de moins en moins qu'il était capable de les affronter seul.

Pour que la peur arrête de s'étendre, il fallait absolument trouver une façon de fermer le robinet. Sans le faire exprès, c'est Sandra qui trouva la solution au problème du chaton.

Un jour, la petit fille eut envie de crème glacée. Comme il n'y en avait plus à la maison, son papa lui donna de l'argent pour aller en acheter. Sandra, qui aimait jouer à la maman, décida de déguiser Ronron en poupée. Après l'avoir longtemps cherché, elle le trouva derrière le bureau de l'ordinateur et, le maintenant pour ne pas qu'il s'échappe, elle l'habilla avec une jolie robe blanche en dentelle et un bonnet bleu. Elle le mit ensuite dans son sac à dos en forme d'ourson. Ronron ne pouvait plus se sauver.

Ronron, le chat poltron, partait en expédition. Sandra enfourcha sa bicyclette et pédala à toute allure jusqu'au centre commercial. Le bonnet à moitié sur les yeux, Ronron était épouvanté par ce qu'il entrevoyait et il perdit la voix à force de miauler.

Arrivée au supermarché, Sandra dut laisser son sac à l'entrée, car on n'y acceptait pas les animaux. Pauvre petit Ronron, le chat poltron, abandonné en plein centre commercial !

À force de gigoter, le chaton finit par sortir du sac à dos. En voyant l'ourson d'où il sortait, il gémit, faisant se retourner plusieurs personnes qui passaient par là. Des enfants le virent et tentèrent de la prendre. Ronron, terrifié, se mit à courir.

Il courut longtemps puis, essoufflé, il se cacha derrière une plante verte dans l'entrée d'une boutique de fleuriste. Coincé, perdu, il passa là une éternité à se demander ce qu'il allait faire. Mais l'éternité, c'est très long pour un chaton ! Il prit donc la décision de faire semblant d'être le chat roi d'Égypte. « Cela me donnera le courage de réaliser le rêve de ma vie et d'explorer le vaste monde », pensa-t-il.

Son cœur battait très fort et ses pattes étaient toutes moites. Mais comme il était sans voix, il ne pouvait pas appeler au secours. Il ferma les yeux, prit une grande respiration et, juste avant de s'élancer, il prit une pierre blanche qui se trouvait dans le pot de la plante verte. Il se dit alors que cette pierre était magique et qu'elle allait le protéger.

Ronron sortit de sa cachette la tête haute. Ce faisant, il accrocha les feuilles les plus basses de la plante et celles-ci formèrent une sorte de couronne de roi sur sa tête. Hésitant et tremblant, il s'aventura avec courage dans l'allée. Il regarda attentivement autour de lui et décida de se mettre à la recherche de Sandra.

Il longeait les murs quand il vit soudain un vieil homme trébucher et tomber sur le plancher. Son visage grimaçant de douleur était à quelques centimètres de lui. Par réflexe, il lui lécha la main. Le vieux monsieur, tout ému, le caressa et lui sourit. Surpris, le petit chat se sentit tout à coup très fier de lui et poursuivit sa route, ragaillardi.

Au bout d'un long corridor, il faillit s'évanouir en voyant toutes sortes d'animaux qui le regardaient fixement. Il y avait là des chiens, des éléphants, des girafes et des chats. Mais, à sa grande surprise, il vit qu'ils ne bougeaient pas. Ronron ne pouvait pas savoir qu'il s'agissait d'animaux en céramique. Pétrifié, on aurait dit qu'il était lui aussi devenu un bibelot !

À force de serrer dans sa patte la petite roche blanche, Ronron réussit à reprendre ses esprits et put se rendre compte que ces animaux n'étaient pas vivants. Il laissa échapper un grand soupir de soulagement.

Forcé de rebrousser chemin, il emprunta un autre couloir. Certaines personnes le voyaient mais, à sa grande surprise, elles ne faisaient aucun cas de lui. D'autres, les enfants surtout, lui souriaient, voulaient le caresser, le prendre, mais toutes étaient gentilles avec lui. Quelle découverte pour Ronron, le poltron ! Lui qui pensait qu'il n'y avait que des dangers dans l'univers, il se rendait compte maintenant qu'il pouvait faire de belles rencontres. Il lui suffisait, pour se sentir en sécurité, de garder ses distances et de ne pas laisser les gens l'approcher de trop près.

De plus en plus détendu et confiant, Ronron regarda ce qui l'entourait. Il vit des lumières scintillantes, des vêtements colorés dans les vitrines et des objets bizarres dont il ignorait l'utilité.

Il s'habitua tranquillement aux bruits qui l'entouraient, en particulier au mélange des voix et des rires des personnes et à la musique diffusée par les haut-parleurs. Mais soudain, il entendit un vacarme épouvantable. Il sursauta si fort qu'il en perdit sa pierre. On aurait dit qu'un avion, un train et une armée de robots le poursuivaient. Il cacha son visage dans ses pattes. Les bruits continuaient, mais rien ne se passait. Il risqua un œil, puis deux. Il était devant un magasin de jouets ! La marchande, qui l'observait, fut prise d'un grand éclat de rire. Le rire, c'est bien connu, est contagieux. Ronron se mit à rire lui aussi de si bon cœur que des larmes coulèrent sur ses moustaches.

Après quoi, apaisé, le chaton pensa qu'il avait découvert en peu de temps bien des trucs pour diminuer sa peur : secourir les autres, garder ses distances, tenir sa pierre magique, rire, prendre son courage à deux mains. Et il se dit qu'il ne pourrait jamais découvrir le monde et être heureux s'il continuait à se cacher.

Absorbé par ses réflexions, il ne vit pas venir l'agent de sécurité, un homme costaud et grognon. Celui-ci prit Ronron par la peau du cou et entreprit de le jeter dehors :

– Le règlement, c'est le règlement ! Pas de chats dans le centre commercial !

Ronron fut d'abord pris de panique, puis il se rappela ses dernières réflexions et décida d'agir. Il tenta de donner des coups de griffes, mais l'agent le portait à bout de bras. S'armant de courage, il essaya de miauler et, ô miracle, il s'aperçut que sa voix était revenue. Il miaula si fort et avec tant d'énergie que ses cris furent entendus par une petite fille en larmes : c'était Sandra qui le cherchait partout depuis de longues minutes.

Sandra reprit son chaton et le ramena à la maison.

Ronron retrouva sa maman qui était morte d'inquiétude et qui le prit dans ses pattes. Elle trouva qu'il avait beaucoup vieilli en un seul après-midi. Il avait appris à faire face à ses peurs et il avait développé beaucoup de confiance en lui. Il embrassa sa maman et partit se coucher, tout seul, sur le divan du salon. Il dormit longtemps, longtemps, et son ronflement régulier fit chaud au cœur de tous les gens de la maison. Depuis, lorsque Sandra va magasiner, elle amène avec elle son chaton préféré.

Peut-on croire que Ronron le poltron soit devenu Ronron le fanfaron pour autant ? Non, bien sûr. Il est encore, de temps à autre, un chaton inquiet et certains bruits le font sursauter. Mais chaque fois qu'il a envie de se cacher, il repense au chat roi d'Égypte et il serre la pierre magique dans sa patte, cette pierre blanche qu'il avait trouvée au centre commercial et qui lui redonne la force nécessaire pour affronter ses peurs. Ronron est devenu un chat courageux... quoique prudent.

Chercher à plaire, c'est bien, mais pas au point d'aller à l'encontre de soi-même. Il faut encourager l'enfant à accepter de ne pas toujours plaire à tous.

Picotine, la coccinelle qui voulait plaire à tout prix

Picotine était une jolie coccinelle rose qui portait sur son dos cinq grains de beauté noirs. Ses ailes étaient petites et délicates. Comme toutes les coccinelles, Picotine voletait d'une fleur à l'autre et s'amusait à suivre les courants d'air de l'été. Elle était très fière d'être une coccinelle parce qu'elle avait entendu les humains la surnommer « bête à bon Dieu ».

Elle se pensait donc investie d'une mission divine et croyait devoir plaire à tout le monde tout le temps.

Chaque fois qu'un insecte lui demandait de l'aide, pour faire sécher des fleurs avec ses ailes, accompagner une autre coccinelle chez le docteur abeille ou encore prendre soin de bébés, Picotine acceptait avec le sourire. Tout le monde la trouvait d'une grande générosité. Sa réputation s'étendait bien au delà du jardin fleuri où elle habitait.

Picotine voulait être la plus belle, la plus intelligente et la plus serviable des coccinelles. Elle se parfumait à l'essence de jasmin et dénichait toujours de jolies feuilles qu'elle accrochait négligemment à sa carapace. Elle s'installait souvent à proximité d'un groupe d'enfants ou d'adultes qu'elle écoutait avec attention. Elle apprenait ainsi des histoires fabuleuses qu'elle racontait un peu plus tard à ses amies ailées. Picotine était ainsi devenue une coccinelle dont on recherchait la compagnie et cela la comblait d'aise.

Par un beau matin d'été, Picotine fut réveillée par un gros bourdon de ses amis. Il la secoua si fort qu'elle faillit tomber du plant de pommes de terre sur lequel elle campait. Elle réprima un mouvement de mauvaise humeur en se disant que cela ne plairait pas au bourdon, qui avait l'air bien énervé. Biz, c'était le nom du bourdon en question, n'en finissait plus de parler et de tenter de s'expliquer. Ce qu'il disait était confus et il fallut un peu de temps à Picotine pour bien comprendre le message. Biz avait besoin d'aide pour préparer le repas du matin de ses six petits, car leur mère était partie en voyage.

Picotine se posa de nombreuses questions. Pourquoi Biz n'a-t-il pas prévu ce petit déjeuner? Pourquoi n'essaie-t-il pas de se débrouiller tout seul? Pourquoi vient-il me déranger dans mon sommeil en faisant tout ce bruit? Mais, comme elle avait un cœur d'or et qu'elle voulait plaire au bourdon, elle ne lui posa aucune de ces questions. Elle sourit, se lava en vitesse et accompagna Biz jusqu'à sa maison. Celui-ci, soulagé, dit qu'il allait en profiter pour aller cultiver son jardin. Quant à Picotine, elle travailla fort pendant plus d'une heure afin de satisfaire l'appétit vorace des six petits bourdons.

Une fois le repas terminé, Picotine, fatiguée, partit à la recherche de Biz pour lui dire que les petits avaient bien mangé. Mais quelle ne fut pas sa surprise de le trouver en train de siroter du nectar de rose avec ses amis ! Elle sentit la colère lui monter aux joues et devint rouge écarlate. Toutefois, ayant peur de lui déplaire, elle ne fit aucun commentaire. Elle se raisonna en se disant qu'elle avait eu de bonnes intentions.

À partir de ce jour, Picotine ne vit plus les choses de la même façon. Elle se rendit compte que certains insectes abusaient de sa générosité et cela lui fit de la peine. Cependant, elle avait toujours un aussi grand coeur, son désir de plaire était toujours aussi fort de même que son besoin de bien paraître. Picotine continua donc à rendre service à tout le monde, mais avec moins d'enthousiasme qu'auparavant.

La petite coccinelle n'était pas au bout de ses peines. Par un soir chaud et humide de pleine lune, Picotine s'amusait avec ses trois meilleures amies. Elle était détendue et elle riait aux éclats. Tout à coup, une libellule atterrit juste à côté d'elles et vociféra des insultes au groupe :

– Vous n'avez pas honte, petites énervées, de déranger les vieilles gens en chantant et en riant ainsi ! Mais qu'est-ce que je vois ? Est-ce bien Picotine, la coccinelle la plus serviable du jardin ? Que fais-tu là avec des jeunes excitées ? Tu me déçois beaucoup, je ne t'aurais jamais cru aussi écervelée !

Picotine était dans tous ses états. Elle qui, d'ordinaire, prenait si grand soin des autres était prise en faute. La honte l'envahit aussitôt :

– Excusez-moi, madame, vous avez raison, mais ce n'est pas moi qui ai commencé. Je vous jure que je n'ai presque pas ri. Ce sont mes amies – en fait, elles ne sont que des connaissances et non pas des amies – qui m'ont entraînée. Je vous en prie, n'en parlez à personne !

La libellule, outrée, ajouta :

– Si j'entends encore un seul rire, je vous fais arrêter par la police.

Sur ces mots, elle partit, encore toute crispée par la colère.

Picotine pleurait à chaudes larmes, rongée par la culpabilité, et ne vit pas ses amies se disperser. Elle regrettait d'avoir ri si fort; elle regrettait aussi d'avoir accusé ses amies et de les avoir reniées. Elle regrettait sa lâcheté. Mais cela avait été plus fort qu'elle.

Le lendemain, après une nuit de cauchemars, Picotine alla rejoindre ses amies, mais celles-ci l'ignorèrent. Pour la première fois de sa vie, elle mesura combien il était difficile d'être soi-même et de plaire à tous. Cela la rendit anxieuse et elle se sentit très triste. Elle se dit : « Je ne vaux pas grand-chose, je suis vraiment vilaine. Je ne suis pas capable de faire plaisir à tout le monde. Je vais être rejetée, mise de côté. Personne ne pourra plus m'aimer. » Elle laissa échapper de longs sanglots qui venaient du fond de son cœur.

Un maringouin qui passait par là fut ému par ses larmes :

– Picotine, tu ne me connais pas, mais moi je te connais bien. Je ne suis qu'un maringouin pas très joli et tout le monde me fuit. J'envie souvent ta beauté et ta capacité de plaire, mais il me semble que tu te dévoues exagérément. À force de vouloir plaire aux autres, tu es devenue la proie des profiteurs et tu es prisonnière de l'image que tu t'es créée. Par exemple, savais-tu que tu avais nui à Biz, même si tu voulais lui rendre service ?

Picotine était tout étourdie par les paroles du maringouin et elle ne comprenait vraiment pas comment elle avait pu nuire au bourdon :

– Explique-moi, je ne comprends rien à tout cela, répondit-elle.

– Biz, tu le sais bien, est un peu paresseux. Il aime s'amuser, et c'est tant mieux pour lui. Lorsqu'il s'est retrouvé seul avec ses petits, il a paniqué devant toutes ses responsabilités et il est venu te chercher pour que tu fasses ce qu'il aurait dû faire lui-même. Tu t'es sentie exploitée par lui et Biz, pour sa part, et malgré son soulagement, n'a rien appris de cette expérience. La prochaine fois qu'il se retrouvera seul, il sera tout aussi démuni.

Picotine était de plus en plus intéressée par ce que le maringouin lui disait. C'était comme découvrir une source d'eau claire lorsqu'on a soif ; c'était comme voir le soleil après trois jours de pluie ou retrouver un bijou qu'on croyait perdu. Picotine ne comprenait pas tout, mais elle sentait que les paroles du maringouin étaient justes et en éprouva un grand soulagement.

– Mais comment puis-je être aimée sans être exploitée ? Comment puis-je aider les autres tout en me protégeant ? Comment puis-je agir sans vouloir plaire à tout prix ?

Le maringouin réfléchit un certain temps, puis il lui murmura :

– Picotine, la réponse te sera donnée d'ici la fin de l'été. Il te suffira de te poser les bonnes questions, de réfléchir et d'attendre quelques minutes avant d'offrir ton aide.

Ces paroles étaient étranges, mais Picotine eut confiance en ce maringouin. Elle cessa de s'apitoyer sur son sort et s'en alla dîner car il était déjà midi.

Tout au long de l'été, Picotine s'exerça à prendre des décisions selon ce qu'elle ressentait et selon ce qu'elle désirait, et non pas en fonction de son besoin de plaire. Elle prit l'habitude de se poser trois questions avant de répondre aux demandes des habitants du jardin : « Est-ce que cet insecte est vraiment dans le besoin ? Est-ce qu'il est capable, seul ou avec de l'aide, de faire ce qu'il me demande de faire ? Est-ce que j'ai le goût et le temps de lui offrir mon aide ? »

Picotine avait un grand cœur et il lui était difficile de refuser son aide, même lorsqu'elle répondait non à la première et à la troisième questions et oui à la deuxième. Mais notre petite « bête à bon Dieu » était résolue à changer, parce qu'elle avait trop souvent de la peine. Elle s'exerça donc à dire non.

Un soir, des parents scarabées qu'elle connaissait très peu vinrent lui demander de les aider à faire du ménage. Ils avaient donné une grande fête pour l'anniversaire de leur aîné et la maison était tout à l'envers. Picotine était sur le point de les suivre lorsqu'elle se posa les trois questions :

« Est-ce que ces insectes sont vraiment dans le besoin ? » « Non, se dit-elle, leur maison est en désordre, mais on peut vivre dans le désordre. » « Est-ce qu'ils sont capables, seuls ou avec de l'aide, de faire ce qu'ils me demandent ? » « Oui, ils pourraient demander à leur fils et à ses amis de les aider à tout ranger, puisque ce sont eux qui ont fait le désordre. » « Est-ce que j'ai le goût et le temps de leur offrir beaucoup de temps ? » « Non, je n'aime pas faire du ménage et j'avais prévu aller jouer avec les deux papillons d'à côté. »

Picotine prit son courage à deux mains et dit aux parents scarabées :

– Non, je n'irai pas vous aider parce que j'avais prévu faire autre chose. Je sais, de plus, que vos enfants peuvent vous donner un coup de main et que vous n'êtes pas en grand besoin. Excusez-moi, ne put-elle s'empêcher d'ajouter. Si jamais vous avez besoin de moi pour quelque chose de plus important, revenez. Cela me fera plaisir de vous aider.

Les scarabées étaient déçus, mais les explications de Picotine leur semblèrent très logiques :

– C'est vrai, comment n'avons-nous pas pensé à demander à notre fils et à ses amis de nous aider ? On pourrait même faire un concours de ménage. Il nous reste un petit sac à surprises et nous pourrions le donner au gagnant ! Merci, Picotine, tu viens de nous donner une bonne idée !

Picotine était étonnée de cette réaction. Elle récoltait un merci, alors qu'elle s'attendait à de la colère. Évidemment, cela ne se passait pas si bien chaque fois qu'elle refusait d'accéder à des demandes. Certains insectes n'étaient pas contents du tout, d'autres se lamentaient et d'autres, enfin, la boudaient pendant un certain temps. Mais la plupart comprenaient que Picotine avait décidé de faire des choix et de penser un peu à elle. Plusieurs reconnurent même qu'ils avaient parfois abusé de sa bonté.

Bien entendu, Picotine demeurait une coccinelle au grand cœur et, très souvent, elle donnait de son temps sans compter. La grande différence, c'est qu'elle décidait librement d'aider et qu'elle n'était plus motivée par le seul désir de plaire. Picotine était plus souriante, plus heureuse, et ses gestes de générosité étaient d'autant plus appréciés.

Picotine, la petite coccinelle qui voulait plaire à tout prix, était devenue une petite coccinelle joyeuse à qui on reconnaissait une grande sagesse.

À la fin de l'été, Picotine avait accepté de ne pas plaire à tout le monde et elle s'aimait davantage. Elle était fière des changements qu'elle avait faits dans sa vie et de sa nouvelle capacité à décider. Elle reconnaissait que les trois questions lui étaient très utiles.

Elle partit à la recherche du maringouin qui lui avait donné de si bons conseils et le découvrit occupé à piquer le bras dodu du jardinier. Elle l'interrompit pour le remercier de son aide :

– Grâce à toi, mon cœur est plus léger et j'ai de plus en plus confiance en moi. Je me sens heureuse et comblée par la vie. Encore une fois, merci.

Le maringouin lui sourit, la salua et retourna s'occuper du bras du jardinier.

Depuis ce jour, la vie suit son cours dans le jardin. Picotine s'amuse bien avec tous ses amis et elle veille à être aussi bonne pour elle-même que pour les autres.

Si l'enfant se sent compris dans sa peine, entouré et aimé, il peut retrouver la joie de vivre et apprendre que c'est de l'intérieur qu'on donne une couleur à sa vie.

Zacharie, le petit garçon tout habillé de gris

Il était une fois un petit garçon nommé Zacharie. C'était un enfant aux cheveux aussi noirs que les ailes d'un corbeau. Ses yeux étaient gris comme la peau des petites souris et son corps, costaud et bien proportionné, aussi souple que celui d'un chat. Zacharie avait sept ans mais, à sa façon de marcher, les épaules courbées, la tête basse et le regard fuyant, il paraissait en avoir au moins cent. Que s'était-il donc passé ?

À trois ans, Zacharie était un vrai petit diable. Ses crises de colère étaient célèbres à la garderie. Ses fous rires aussi. Il adorait par-dessus tout chatouiller ses amis à l'heure de la sieste, et il ne pouvait résister à la tentation de le faire, même s'il savait que cela rendait son éducatrice de bien mauvaise humeur. Bref, Zacharie était un boute-en-train, un petit lutin vif et sympathique.

À cinq ans, il aimait les couleurs vives, comme le rouge et le violet, et il en mettait dans tous ses dessins. Il était la joie personnifiée. Il inventait des jeux et des personnages fabuleux, il avait le cœur rempli de bonheur.

C'est à six ans que tout commença à changer. Un beau matin, Zacharie se leva de mauvais poil. Sa mère lui avait sorti sa salopette préférée, la rouge, mais il refusa de la mettre et enfila un pantalon gris et un chandail blanc. Surprise, sa mère le laissa faire, car elle savait qu'il était inutile de le brusquer lorsqu'il était maussade et bougon. D'ailleurs, sa maman n'avait pas l'énergie nécessaire pour lui tenir tête. En effet, depuis le décès de son propre père, elle avait toutes les peines du monde à s'occuper de son petit.

Le lendemain, Zacharie, un peu plus en forme, mit sa salopette marine et un chandail vert pomme. Mais en rentrant de l'école, il se changea rapidement et se vêtit de gris.

Zacharie allait alors à l'école du quartier et il était en première année. Il aimait son enseignante, mais celle-ci le trouvait passif et estimait qu'il était peu intéressé à apprendre à lire et à compter. Au fil des jours, Zacharie se mit à jouer de moins en moins souvent avec ses amis d'avant. Et au cours de cette année-là, quand venait le temps de s'habiller, il hésitait constamment entre ses couleurs préférées et le gris. Ses parents crurent à un caprice et n'insistèrent pas.

Mais à sept ans, rien n'allait plus ; Zacharie ne portait plus que du gris. Pire, il commença à ne plus distinguer les couleurs. Il disait souvent que c'était à cause de ses yeux gris s'il en était ainsi. Il était morose et pleurait de plus en plus souvent.

Lorsqu'il regardait un livre de contes, par exemple, il voyait bien les dessins, mais il n'en distinguait pas les couleurs. Les pommes étaient gris foncé, les animaux étaient blancs et gris, et même le Petit Chaperon rouge avait perdu ses couleurs. Le monde devenait morne. Au printemps, les lilas se paraient à ses yeux de fleurs gris pâle dans un feuillage presque noir. À l'automne, c'était encore plus dramatique puisque, dans les flaques d'eau grise, ne flottaient que des feuilles sans couleurs, ternes et tristes. Pauvre Zacharie ! sa vie devenait de plus en plus déprimante.

Ses parents affolés l'amenèrent consulter un spécialiste de la vue. Celui-ci ne lui trouva aucune maladie. Ils se rendirent chez deux autres médecins qui confirmèrent son bon état de santé. Mais qu'arrivait-il à Zacharie ?

Un jour, complètement découragé, Zacharie décida de ne plus se lever. Il voulait dormir pour l'éternité, ne plus penser, dormir et oublier.

Pendant ce temps-là, la vie suivait son cours. C'était le printemps, le plus beau depuis bien longtemps. Le soleil était chaud et la brise du sud était douce sur la peau. Les arbres semblaient se réveiller d'un sommeil agité par les cauchemars terribles de l'hiver ; les arbres peuvent eux aussi faire de mauvais rêves, se voir déracinés ou, pire encore, cassés. Des feuilles d'un vert tendre pointaient le bout de leur nez vers la lumière et les oiseaux, dans un concert cacophonique, chantaient tout en cherchant des graines à manger et des brindilles pour faire leur nid.

Un matin où Zacharie refusait de se lever, un petit oiseau, un moineau brun bien ordinaire, vint se poser sur le bord de la fenêtre de sa chambre. Son piaillement attira l'attention de l'enfant.

Zacharie n'apercevait qu'un petit oiseau gris foncé en train d'arranger systématiquement des brindilles d'un gris pâle pour en faire un nid ovale. Il ferma les yeux et se boucha les oreilles. Mais il n'est pas facile d'éliminer le printemps de sa vie.

De son côté, le petit oiseau, qui s'appelait Espoir, s'aperçut qu'il se passait des choses bien étranges dans cette chambre d'enfant : pas de bruit, ni de cris, ni de rires, ni de couleurs. Espoir regarda le lit dans lequel était couché Zacharie et il dodelina de sa petite tête ébouriffée. Toutes sortes de questions l'assaillirent. Quel était le mal étrange qui terrassait ce petit garçon ? Que lui était-il arrivé de particulier pour qu'il soit si fatigué ? Qu'est-ce qui pourrait redonner de la couleur à son regard ?

Les petits oiseaux ont des esprits pratiques et ils cherchent toujours des solutions aux problèmes qu'ils rencontrent. Espoir était un oiseau plus joyeux et plus positif que les autres et c'est pour cela que ses parents l'avaient appelé ainsi. Celui-ci se demanda donc comment aider Zacharie.

Il décida d'abord d'attirer son attention, ce qui n'était pas chose facile. Jour après jour, il vint sur le rebord de la fenêtre pour chanter, pour danser et pour cogner dans les carreaux avec son bec. La maman de Zacharie se rendit compte du manège de l'oiseau et cela l'émut. Elle ouvrit la fenêtre pour permettre à Espoir d'entrer à sa guise dans la chambre de son petit garçon. Celui-ci vint régulièrement se poser sur le lit de Zacharie qui ne put l'ignorer plus longtemps. D'abord agacé par ses pitreries, il se mit bientôt à souhaiter sa présence.

Un matin plein de lumière, Zacharie se réveilla tôt et chercha du regard le petit oiseau. Pas d'Espoir dans son lit ! Le cœur battant, l'enfant se leva et alla jusqu'à la fenêtre. Pas d'Espoir à l'horizon ! Pris de panique, il sortit à toute vitesse sur le perron. Il scruta le ciel et le bel érable trônant au milieu du terrain, mais il ne vit toujours rien. Des larmes commencèrent à monter à ses yeux et il se mit à pleurer. Il sanglota tellement qu'un écureuil qui passait par là crut à une inondation. Zacharie, vous l'avez compris, pleurait l'absence d'Espoir.

Tout à coup, l'oiseau arriva à tire-d'aile en lançant de petits cris perçants. Il se percha sur l'épaule de Zacharie et lui murmura à l'oreille :

– Comme ta peine est grande ! Veux-tu vraiment guérir de ton étrange maladie ? Es-tu prêt à suivre mes conseils ?

Zacharie n'avait jamais entendu un oiseau parler et il en était éberlué.

– Réponds-moi, insista Espoir, je ne peux rien pour toi si tu ne veux pas de mon aide !

– Oui, je veux guérir mais, depuis la mort de mon grand-père qui m'avait promis d'être mon ami pour toujours, je ne sais plus à qui faire confiance.

Espoir expliqua à Zacharie qu'il avait un plan.

– Tout peut s'arranger, conclut Espoir.

Ragaillardi, Zacharie accepta ce matin-là, pour la première fois depuis des semaines, de s'habiller et d'aller à l'école. Tout ce qu'il voyait était gris, mais lorsqu'il fermait les yeux, il arrivait à voir certaines couleurs. Les jours suivants, il commença à rêver en couleurs. C'était fantastique !

Espoir lui avait dit de faire comme si de rien n'était jusqu'au prochain jour de pluie. À ce moment-là, il devrait attendre Espoir dans la cour de l'école. Zacharie n'en savait pas plus, mais il attendait la pluie avec impatience. Il jouait un peu avec des amis et se risquait même à sourire à son enseignante qui faillit s'évanouir de bonheur. Zacharie n'avait pas conscience de l'inquiétude que son état suscitait autour de lui et de l'amour qu'on lui portait.

Enfin, un lundi de mai, vers deux heures de l'après-midi, la pluie se mit à tomber. Zacharie travaillait alors à résoudre des problèmes de mathématiques. Il se leva d'un bond et se rua dans la cour de récréation. Tous les enfants de la classe se levèrent à leur tour pour regarder par la fenêtre ce que faisait leur ami. Et ils virent un spectacle incroyable !

Sous la pluie, Zacharie suivait un petit moineau bien ordinaire. Les deux comparses s'arrêtèrent au beau milieu de la cour, regardant vers le ciel. Tout à coup, le soleil perça les nuages. Un magnifique arc-en-ciel apparut. Il était formé de milliers d'oiseaux multicolores qui se détachèrent un à un et qui s'approchèrent de Zacharie et d'Espoir. À tour de rôle, les oiseaux laissèrent tomber sur la tête de l'enfant toutes les couleurs. Il y avait du jaune vif, de l'ocre, du bleu firmament, du bleu pâle, du vert émeraude, du vert forêt, du mauve, du violet, du rouge feu et du magenta ;

des centaines de couleurs, toutes plus belles les unes que les autres. Elles coulaient sur les oreilles, le dos et les fesses de Zacharie. Le soleil et la pluie s'unissaient pour donner à l'enfant un bain de couleurs.

Zacharie riait et pleurait en même temps. Il était soleil et pluie, mais il était surtout couleur. Il pensa que son grand-papa, du haut du ciel, lui faisait signe. Il voyait enfin toutes les nuances de la vie, les roses, les jaunes et les bleus. Il était ébloui par tant de beauté. Mais ce qu'il regardait avec le plus d'intensité, c'était son ami l'oiseau. C'est grâce à lui qu'il voyait toutes ces merveilles. Et le petit moineau tout brun, bien ordinaire, devenait à ses yeux le plus bel oiseau du monde.

Zacharie guérit peu à peu de sa maladie. Il se mit d'abord à voir les petites joies quotidiennes dans des teintes pastel à peine soulignées, puis il put apercevoir de grands bonheurs vivement colorés. C'était comme si le monde avait changé ou comme si son regard s'était transformé. Il comprit que la vie est faite de nuances et qu'on peut vivre de petites et de grandes joies comme de petites et de grandes peines. « L'amour, pensa-t-il, est un grand peintre qui jette à toute volée ses couleurs sur la toile de la vie. » Il prit conscience également que c'était lui qui donnait de l'éclat à tout ce qui l'entourait. Il sentit profondément en lui l'amour de son grand-père, celui de ses parents, de ses amis et de tous ceux qui se faisaient du souci pour lui.

Aujourd'hui, lorsqu'il pleut, Zacharie est heureux. Il repense au superbe arc-en-ciel qui illumina sa vie et aux oiseaux qui lui apprirent à avoir confiance en lui. Tous les jours, il recherche la compagnie d'Espoir, son meilleur ami.

Il y a plusieurs ressources en nous – l'imaginaire, l'intellect, les émotions… – qu'on peut exploiter pour vivre son bonheur de tous les jours. L'échange est aussi un moyen précieux pour être heureux, surtout si on accepte que chacun a des forces et des faiblesses.

Une grande fête sur une petite planète égarée

Il existe, très loin dans l'espace sidéral, une petite planète qu'aucun astronome n'a jamais vue dans sa lunette. Cette petite planète est tout à fait unique, puisqu'elle ne suit pas les règles de l'univers et qu'elle ne fait partie d'aucune galaxie. De plus, ses habitants ne sont préoccupés que d'une seule chose : inventer de nouveaux moyens d'être heureux.

Sur Harmonia, c'est le nom de cette planète, il n'y a que cinq pays, cinq petits pays pas plus grands que les villes de Montréal, de Paris ou de Moscou. Aucun de ces pays n'essaie d'envahir les autres parce que les Harmonis ont compris depuis bien longtemps, des millions et des millions d'années peut-être, que la guerre éloigne le bonheur.

Les habitants d'Harmonia vivent jusqu'à trois cents ans et les naissances sont toujours accueillies avec joie. La planète regorge de fruits et de légumes et personne ne souffre de la faim.

Un des pays de la planète s'appelle Vision. C'est le pays de l'imaginaire, des rêves et des fantaisies. Les habitants de ce pays, les Visionnaires, sont aussi originaux qu'imprévisibles. Ils portent des vêtements faits en tissus de toutes les textures et de toutes les couleurs, et ils adorent se maquiller de façon extravagante. Ils trouvent le bonheur en créant constamment, car ils ont beaucoup d'imagination. Ils composent des poèmes et des mélodies, font des sculptures, peignent des tableaux, confectionnent des vêtements et inventent de merveilleux contes pour enfants et adultes.

Les fleurs poussent durant toute l'année dans ce pays. Elles sont variées, odorantes et multicolores. Évidemment, il y aussi des sources souterraines qui permettent d'arroser ces fleurs, ainsi que des fontaines de toutes les formes où l'on peut boire à volonté. Les Visionnaires travaillent fort pour cultiver leur bonheur. Même s'ils habitent un pays de rêve, ils savent bien que l'imagination peut leur jouer de vilains tours. Ainsi, il arrive parfois qu'un Visionnaire écrive un poème ou peigne une toile et que son imagination l'entraîne dans des fantaisies pleines de tristesse, de colère ou de peur. Il doit alors trouver un façon d'exprimer vraiment ce qu'il ressent s'il veut réussir à apaiser son cœur, et cela n'est pas toujours facile. Parfois, il arrive aussi qu'une Visionnaire couse pendant plusieurs heures un vêtement qu'elle a imaginé, mais qu'il ne soit pas comme elle l'avait désiré.

Un autre pays s'appelle Émoi. C'est le pays du cœur, de l'amour, de la compassion et des flambées de juste colère. Dans cette contrée, tout est vivant et sensible. Volcans, palmiers, déserts et lacs s'y côtoient.

Les émotions sont omniprésentes dans ce pays. Les arbres y poussent en abondance et leurs feuilles tournoient à la moindre brise. Les pierres lancent des cris lorsqu'on les bouscule par mégarde. Le vent est fort et il peut tourner si rapidement que les girouettes sont inutiles.

Les habitants de ce pays, les Émotifs, sont des êtres très sensibles. Ils sont profondément heureux quand ils voient un lever de soleil et ils pleurent à chaudes larmes lorsqu'un de leurs amis a de la peine. Ils sont particulièrement touchés par tout ce qui arrive à leurs proches. Ce sont des gens qui pensent aux autres et qui trouvent le bonheur en faisant plaisir à ceux qu'ils aiment. Mais ils sont aussi « soupe au lait », ce qui veut dire qu'ils se fâchent facilement et intensément. Par chance, ils se calment aussi rapidement qu'ils se sont énervés et ils savent s'excuser.

Pour les Émotifs, il n'est pas toujours facile d'être heureux. En effet, ils doivent apprendre dès leur jeune âge à exprimer leurs émotions et parfois à les contenir pour ne pas blesser les autres. Étant à la recherche de la paix intérieure, ils doivent apprendre à jouer de leurs sentiments comme s'il s'agissait d'instruments de musique délicats et fragiles.

Un troisième pays s'appelle Pensée. Il est fait de montagnes escarpées et de constructions superbes qui apparaissent et disparaissent de façon spontanée. Tout ce qui existe dans ce pays est nommé et expliqué longuement avec des mots, des verbes et des phrases.

Ses habitants, les Penseurs, ne prennent jamais de décisions à la légère. Ils réfléchissent et discutent pendant plusieurs heures, voire plusieurs jours. Ce sont des philosophes, des professeurs, des architectes et des mathématiciens hors pair. Ils aiment résoudre les problèmes complexes et savent relever des défis. Ils adorent apprendre des langues étrangères et, dans chaque maison, on trouve une bibliothèque.

Ce pays est peuplé de Penseures qui méditent tous les matins au bord d'un lac. Elles ont un regard profond qui semble tourné vers l'intérieur d'elles-mêmes. Il y a aussi des Penseurs, qui adorent qu'on vienne leur demander conseil et qui prennent tout leur temps pour donner une réponse satisfaisante aux questions qu'on leur soumet.

Dans ce pays majestueux, les habitants sont heureux, mais ils doivent quand même travailler à construire leur bonheur. Parfois, ils s'égarent dans leurs pensées et ils oublient de manger ou de regarder les rivières couler. À d'autres moments, ils passent un temps fou à chercher le mot précis ou le chiffre exact, et ils deviennent alors anxieux et irritables. Ils doivent apprendre à endiguer le flot de leurs idées avant d'être emportés sur des rivages trop éloignés du cœur.

Un autre pays a pour nom Sensation. Il est d'une grande beauté et sa nature est si diversifiée que ses habitants, les Sensitifs, y trouvent des stimulations pour leurs cinq sens. Chaque maison a une vue superbe sur un lac, une montagne ou un champ. De plus, dans chaque demeure, les Sensitifs cultivent une odeur particulière ; ils vont alors d'une maison à l'autre pour y respirer ces odeurs et s'en délecter.

Les Sensitifs sont des gens qui ont une sensibilité à fleur de peau. Cela veut dire qu'ils réagissent d'abord et avant tout dans leur corps quand ils vivent des émotions. De plus, lorsqu'on les frôle, ils frissonnent, et lorsqu'on les masse ou les caresse, ils ronronnent comme des chatons. Ils adorent courir, escalader des rochers, faire de la bicyclette ou tout simplement marcher le nez au vent. Ils veulent avoir un corps en santé et ils exercent leurs muscles avec frénésie. Ils mangent avec délectation des légumes et des fruits qu'ils cultivent eux-mêmes. Ils ont aussi l'oreille fine et se précipitent à tous les concerts et spectacles qu'on leur propose.

Les Sensitifs sont heureux sans réserve si leurs sens sont satisfaits, mais ils ont bien de la difficulté à rester joyeux si leur corps leur fait défaut. Un habitant de ce pays qui fait de la course à pied et qui doit rester immobilisé pendant un certain temps à cause d'une blessure peut facilement devenir déprimé. Un autre qui a le nez bouché à cause d'une grippe et qui ne peut rien sentir ni goûter devient aisément irritable et désorienté. Les Sensitifs doivent eux aussi travailler à leur bonheur en évitant de devenir esclaves de leurs sensations.

Enfin, le cinquième pays s'appelle Intuition. Ce pays est difficile à décrire, car il est changeant et imprécis. Les ruisseaux qui le traversent sont régulièrement détournés de leur cours par des animaux futés et le temps y est toujours incertain. De plus, le ciel est sillonné par des oiseaux qui apportent à la fois de bons et de mauvais présages.

Les Intuitifs sont des êtres sensibles. Ils sont toujours à l'affût de signes. Ils ne voient pas l'univers comme tout le monde. Ainsi, lorsque les guêpes placent leurs nids très haut dans les arbres, ils pensent que l'hiver sera très neigeux et, lorsqu'un enfant est agité, ils se demandent quel sens donner à ce comportement. Il en va de même quand les oiseaux cessent de chanter; ils se disent alors que quelque chose va survenir. Les Intuitifs les plus expérimentés peuvent même prédire l'avenir et interpréter les milliers de signes qu'ils rencontrent sur leur chemin. Ils ne s'arrêtent pas à l'apparence des choses mais cherchent à en décoder les secrets. On dirait même que certains d'entre eux peuvent lire les peines, les joies et les espoirs qui se trouvent dans le cœur des autres.

Dès leur naissance, les Intuitifs apprennent à se fier à leurs premières impressions et à croire en leurs visions. Ils sont heureux de posséder ce don, mais ils sont parfois fatigués d'être toujours sur le qui-vive. Lorsqu'ils ont des visions de désastres, ils deviennent inquiets et éprouvent de la difficulté à dormir. Ils doivent constamment se rappeler de profiter du moment présent et de maîtriser leur sensibilité. C'est ainsi qu'ils travaillent eux aussi à construire leur bonheur.

Sur la planète Harmonia, il y a donc cinq pays très différents les uns des autres, mais tous peuplés d'hommes, de femmes et d'enfants beaux et généreux qui sont tous à la recherche du bonheur.

Sur cette planète pas ordinaire, il est inutile d'élire des gouvernements. Chaque personne, dans chacun des cinq pays, est responsable d'elle-même et de ceux qui l'entourent. Ainsi, quand quelqu'un prend conscience qu'un de ses proches est tourmenté, il prend le temps de le rencontrer et de lui parler avec respect et amour. Tout le monde s'entraide et cherche activement à résoudre les inévitables conflits de la vie. Chacun et chacune fait de son mieux pour vivre en harmonie.

Il y a très peu de contacts entre les habitants de ces divers pays puisque chacun se suffit à lui-même et assure sa propre survie. Mais un jour…

Un jour, une Intuitive, qui regardait une volée d'outardes traverser le ciel, eut une grande intuition. Elle se dit qu'il serait intéressant que les Visionnaires, les Émotifs, les Penseurs, les Sensitifs et les Intuitifs se rencontrent pour partager leurs expériences de bonheur. Elle proposa alors d'organiser une grande fête sur Harmonia.

Présage, tel était le nom de cette Intuitive, voulut envoyer une invitation personnelle à chacun, mais elle ne savait pas comment s'y prendre. Elle alla donc rencontrer un Visionnaire dont elle avait entendu parler et lui demanda de l'aide. Celui-ci prit son pinceau et dessina, en deux temps, trois mouvements, un faire-part flamboyant. Cependant, les deux comparses ne savaient quoi écrire dans cette carte pour inviter les Harmonis à assister à la fête. Ils allèrent demander conseil à un Penseur. Celui-ci réfléchit pendant deux jours et deux nuits, puis leur donna quelques idées géniales. Il leur suggéra même d'aller au pays Émoi, pour demander quelle serait la meilleure façon de toucher le cœur de tout le monde.

Les trois amis allèrent rencontrer une Émotive qui se fit un plaisir d'écrire le message tout en pleurant de joie. Mais voilà, comment livrer cette invitation ? On fit naturellement appel à un Sensitif, champion de course à pied. Celui-ci parcourut en moins d'un mois toute la planète pour remettre l'invitation.

Cette fête excitait tout le monde et chacun s'avoua que, au fond, il avait toujours souhaité visiter les autres pays afin de connaître de nouveaux moyens d'atteindre le bonheur.

Pour Présage, l'Intuitive qui avait eu l'idée d'organiser cette fête, la tâche était énorme. Elle demanda donc à ses quatre nouveaux amis de l'aider aux préparatifs. Ils se mirent rapidement à l'œuvre et chacun émit ses idées et fit profiter aux autres de ses talents particuliers, si bien que la petite équipe fut rapidement convaincue de pouvoir réussir son travail.

La tâche n'était pas toujours facile, car chacun voulait affirmer son point de vue et devait écouter celui des autres, faire des compromis sans jamais abandonner complètement sa propre idée.

C'était tout un apprentissage ! Mais c'était aussi très exaltant de découvrir leurs différentes façons de faire et de penser. Par moments, c'était comme assister à un feu d'artifice ou à une aurore boréale. Ils n'en revenaient pas.

Il y avait des jours où Présage pensait qu'il aurait été plus facile d'organiser une fête pour chaque pays. Elle-même se serait sentie mieux comprise et plus à l'aise s'il n'y avait eu que des Intuitifs. Mais la plupart du temps, elle riait de si bon cœur avec ses nouveaux amis et elle était si étonnée par leurs idées, leur créativité, leur sensibilité et leur sensualité qu'elle était certaine qu'ils avaient raison d'organiser une fête planétaire.

Finalement, le grand jour arriva et, de tous les coins de la planète, affluèrent les Harmonis.

Les Visionnaires avaient construit pour l'occasion trois énormes bulles de verre. Dans chacune d'elles se trouvaient une centaine de personnes qui, en marchant, les faisaient avancer. C'était un beau spectacle à voir que celui de trois énormes bulles roulant vers l'Intuition, pleines à craquer d'hurluberlus déguisés et maquillés.

Les Émotifs, pour leur part, chantaient de merveilleuses mélodies d'amour et se tenaient par la main. Une grande chaîne humaine de trois cents personnes arrivait donc par les routes.

Quant aux Penseurs, ils avaient réfléchi longtemps à la meilleure façon de se rendre à la fête. Finalement, les architectes, avec l'aide des professeurs, avaient construit quelque chose qui ressemblait à un immense oiseau. Cette machine pouvait voler. Il s'agissait, en fait, d'un avion, mais les Harmonis ne le savaient pas. Les trois cents Penseurs firent un grand effort de concentration et ils réussirent à faire décoller l'engin uniquement grâce à la force de leur pensée.

Les Sensitifs profitèrent de l'occasion pour s'adonner à leurs exercices préférés. Bien entendu, ils s'étaient entraînés pendant de longues semaines avant la fête et ils étaient en pleine forme. Certains couraient, d'autres marchaient, d'autres encore pédalaient. Et tout ce beau monde allait vers Intuition, emportant avec lui des fleurs parfumées et des sucreries.

Évidemment, les Intuitifs n'avaient pas à se déplacer beaucoup puisque la fête avait lieu chez eux. Mais l'événement les avait rendus plus sensibles que d'habitude aux signes les entourant, aux cris des animaux et leurs rêves. Ils prédisaient du beau temps et beaucoup de plaisir pour cette journée mémorable.

Le soleil était au rendez-vous mais, comme cette planète n'est pas ordinaire, ses trois lunes avaient décidé de paraître dans le ciel en même temps. Les oiseaux, curieux, survolaient le magnifique banquet installé dans un grand champ de fleurs sauvages. Ils virent sur une immense table recouverte d'une nappe immaculée des fruits mûrs, des légumes tendres et colorés, des fromages coulants, ainsi que des gâteau au chocolat, au sirop d'érable et à la crème. Ils virent aussi de gros bouquets de jacinthes jaune vif et de marguerites blanches disposés entre les plats. Ils aperçurent également des chandeliers que les Visionnaires avaient créés pour l'occasion. Ces chandeliers à huit branches étaient faits de bronze et étaient surmontés de chandelles de cire d'abeille incrustées d'or et travaillées à l'aiguille. Les rouges-gorges et les colibris, les merles et les chardonnerets, de même que plusieurs autres espèces d'oiseaux inconnus sur la Terre, furent si éblouis par tant de beauté qu'ils se mirent à chanter en chœur.

Les papillons affluèrent en si grand nombre qu'on les confondait avec les fleurs qui répandaient leurs parfums grâce à une douce brise.

Les arbres semblaient, au crépuscule, encore plus majestueux qu'à l'habitude et les montagnes au loin se miraient dans la magnifique rivière qui serpentait à leurs pieds.

Les Harmonis étaient si heureux d'avoir apporté des présents. Les Visionnaires avaient composé un long chant poétique qu'ils avaient gravé et illustré dans une pierre. Quant aux Émotifs, ils riaient et pleuraient en offrant leur présent : une fleur d'eau, un nénuphar géant mauve et rose qu'ils avaient cultivé avec amour et qui exhalait un parfum enivrant. En présence de cette fleur, chacun devenait plus conscient des autres, plus à l'écoute et plus sensible.

Les Penseurs avaient apporté un cadeau bien particulier qui leur avait demandé de longues heures de réflexion. Ils avaient conçu un appareil qui permettait de communiquer les pensées et les idées. Cet appareil d'un blanc éclatant n'était pas plus gros qu'une mésange. Son extrémité ressemblait à un bec de canard grand ouvert. Ce bec s'appuyait sur une demi-lune de cristal remplie d'un liquide doré.

Lorsque quelqu'un avait une bonne idée ou encore une pensée profonde, il lui suffisait de souffler doucement dans le bec de canard en se concentrant. Toute personne qui désirait connaître cette idée ou cette pensée n'avait qu'à plonger son regard dans le liquide doré, en silence et le plus calmement possible. Puis, au moment où le liquide dans la demi-lune changeait d'aspect, il n'y avait plus qu'à coller son oreille sur le bec pour entendre le message.

Les Sensitifs s'étaient donné énormément de mal pour concocter leur présent. Ils avaient apporté dans une urne antique un nectar merveilleux qu'ils avaient distillé à partir de raisins mûrs, de sève de lilas, de gouttes de rosée cueillies à l'aurore ainsi que d'essence de genévrier. Les personnes qui buvaient cette boisson magique pouvaient jouir pleinement de leurs cinq sens sans s'enivrer. Les Sensitifs en versaient à chaque convive dans des coupes de grès.

Les Intuitifs, enfin, avaient décidé de mettre leurs dons au service de la collectivité et ils interprétaient les rêves de tous ceux qui en faisaient la demande. Ils le faisaient avec beaucoup de délicatesse en utilisant des mots et des images facilement compréhensibles.

La grande fête sur cette petite planète égarée dura très longtemps. Mais à la longue, la fatigue et la nostalgie du pays finirent par gagner tout le monde et chacun pensa à repartir. On s'embrassa et on se promit de se retrouver bientôt. Enfin, on décida que chaque pays, à tour de rôle, serait l'hôte de la fête annuelle des Harmonis.

Les Harmonis avaient compris plusieurs choses pendant cette fête. Ils savaient maintenant que la recherche du bonheur peut se faire de bien des façons et que l'échange est un merveilleux moyen d'atteindre la joie de vivre. Ils avaient également compris que le bonheur n'est pas toujours donné, qu'il est une quête de tous les jours et que chacun possède en lui des ressources personnelles insoupçonnées qui peuvent le mener à vivre encore plus intensément ce bonheur tant convoité.

Une grande fête aura lieu l'an prochain encore sur Harmonia, petite planète perdue dans l'espace, petite planète qui ne suit pas les règles de l'univers et qui ne fait partie d'aucune galaxie. Ce sera à nouveau une fête dédiée à la recherche de l'harmonie et à la quête perpétuelle du bonheur.

En guise de conclusion

En décembre 1997, Danielle Laporte écrit un conte qu'elle intitule Un trésor perdu et retrouvé. *Il s'agit de l'histoire de deux enfants, Jules et Julie, qui, lors d'une excursion, perdent le trésor le plus précieux qui soit, celui de la santé. Quelques mois plus tard, c'est au tour de Danielle de perdre ce précieux trésor. Toutefois, contrairement aux enfants, elle ne le retrouvera pas et nous quittera en mai 1998, nous laissant quand même en terre d'espoir avec ce dernier conte.*

Un trésor perdu et retrouvé

Il était une fois un petit garçon et une petite fille qui habitaient un village blotti au fond d'une vallée. Le garçon s'appelait Jules. Il aimait aider son père aux champs et faire de l'escalade dans les montagnes autour. Pour sa part, la petite fille Julie préférait rêvasser sous un grand chêne qui ombrageait la maison. Elle passait aussi beaucoup de temps à s'occuper de Caramel, sa chatte adorée et de sa dernière portée de six chatons.

Les parents de Jules et Julie n'étaient pas riches, mais ils possédaient un trésor très précieux qui leur avait été légué par leurs propres parents. Ce trésor consistait en des bulles de verre qui ressemblaient à s'y méprendre à des boules de Noël transparentes. Au centre de chaque bulle, il y avait une source de lumière dorée illuminant un petit cœur qui battait à un rythme régulier.

Chaque membre de la famille possédait une de ces bulles. Elles étaient magiques car, quand on les regardait, on se sentait fort et plein d'énergie et, quand on les prenait dans ses mains, tous les petits bobos disparaissaient.

Un jour, Jules et Julie partirent dans la forêt, chacun apportant au fond de sa poche sa bulle précieuse, son trésor. Le soleil était éclatant et les oiseaux virevoltaient autour d'eux en chantant. Après avoir couru à toutes jambes derrière les écureuils et s'être baignés dans la rivière, ils s'étendirent dans l'herbe, les bulles posées par terre à côté d'eux, et s'endormirent.

À leur réveil, le soleil avait disparu et un vent frisquet s'était levé. Apeurés, les enfants cherchèrent les bulles pour se rassurer, mais ils découvrirent vite qu'elles avaient été emportées par le vent mauvais. Jules commença à avoir mal au cœur tandis que Julie vit sa peau se couvrir de petits boutons.

Les deux enfants, se sentant faibles et sans énergie, décidèrent de retourner à la maison. Mais le chemin s'annonçait long et pénible, d'autant plus qu'une pluie froide commençait à tomber. Ils se mirent à frissonner de la tête aux pieds.

En voyant le temps changer, les parents étaient partis à la rencontre de leurs petits. Lorsqu'ils virent le piteux état dans lequel ils se trouvaient, ils décidèrent de les amener à l'hôpital. Constatant que les bulles magiques des enfants avaient disparu, la mère mit la sienne entre leurs mains. Jules et Julie retrouvèrent aussitôt le sourire et un peu d'énergie. Mais ce n'était pas suffisant pour les guérir, car les pouvoirs d'une bulle ne peuvent servir qu'à la personne à qui elle appartient.

Les parents décidèrent donc d'aller à la recherche des bulles perdues. Pour retrouver ce trésor, ils demandèrent l'aide de leurs amis et des amis de leurs enfants.

Pendant ce temps, à l'hôpital, Jules et Julie étaient bien soignés. Pour remplacer leur trésor perdu, ils commencèrent à se détendre et à imaginer qu'ils faisaient pénétrer dans leur corps la lumière dorée des bulles magiques et battre à un rythme régulier les petits cœurs. À chaque fois que les enfants parvenaient à visualiser la bulle, ils se sentaient plus en forme et leur espoir d'être bientôt guéris augmentait. Ils comprirent ainsi que le trésor était aussi au-dedans d'eux et ils se sentirent beaucoup mieux.

Les parents et amis ratissaient la forêt à la recherche du trésor perdu. Après plusieurs jours de recherches intensives, on aperçut enfin une grande lumière derrière un buisson. On venait de retrouver le trésor perdu. Les deux bulles magiques furent ramenées aux enfants qui allaient déjà mieux.

Jules et Julie, grâce aux médecins, aux infirmières, à leurs parents et aux amis, et grâce aussi à leur propre magie, retrouvèrent le trésor le plus précieux de tous, celui de la santé.

Québec, Canada
2002